岩波現代文庫

学術 19

多木浩二

ベンヤミン「複製技術時代の芸術作品」精読

岩波書店

凡　例

一、本文の引用中にある〔　〕は著者による補いである。

一、引用文献は以下のものを使用した。

ヘーゲル『美学講義』(上)長谷川宏訳、作品社、一九九五年

Ms は草稿補遺の番号を示す。Walter Benjamin, Gesammelte Schriften, Band I-3, Surkamp, 1975, pp. 1039-1051.

『ブレヒトの詩への注釈』『叙事的演劇とはなにか』(野村修訳『ヴァルター・ベンヤミン著作集9　ブレヒト』所収、晶文社、一九七一年)

『生産者としての作家』(石黒英男訳『ヴァルター・ベンヤミン著作集9　ブレヒト』所収、晶文社、一九七一年)

『写真小史』(浅井健二郎編訳・久保哲司訳『ベンヤミン・コレクションI——近代の意味』ちくま学芸文庫、一九九五年)

『ドイツ哀悼劇の根源』(川村二郎・三城満禧訳『ドイツ悲劇の根源』法政大学出版局、

一九七五年）
「アドルノからベンヤミンへ」ロンドン、一九三六年三月一八日（野村修訳『ベンヤミン
　アドルノ往復書簡』ヘンリー・ローニツ編、晶文社、一九九六年）
『経験と貧困』（高原宏平訳『ヴァルター・ベンヤミン著作集1　暴力批判論』所収、晶
　文社、一九六九年）
『叙事的演劇とはなにか』（野村修訳『ヴァルター・ベンヤミン著作集9　ブレヒト』所
　収、晶文社、一九七一年）
一、二字下がりの形の引用で出典を表示していないものは、本書収録の『複製技術時代の
芸術作品』（野村修訳『ボードレール他五篇　ベンヤミンの仕事2』所収、岩波文庫、
一九九四年）からの引用である。本書収録に際して、原題「複製技術の時代における
芸術作品」を改題し、引用後に本書におけるページを表示した。

目　次

1　テクストの誕生

日本への紹介

ヴァルター・ベンヤミンの『複製技術時代の芸術作品』は、彼の作品のなかで日本ではもっとも早く翻訳され、もっともよく読まれてきたものである。そのことは不思議ではない。最初の訳が出版された一九六〇年代、われわれは従来の言語にはない、視覚的な表象(当時は映像という言葉がさかんに使われた)の能力に異様に敏感になっていた。視覚についての多くの本が出されたし、おそらく絵画以上に写真やデザインについての関心が強くなった時代だった。ロラン・バルトの最初の写真論がフランスの『コミュニカシオン』誌創刊号に載ったのが、ちょうど一九六〇年。今から省みるとわれわれは、言語やイメージの孕む問題群について充分に理解していなかったが、すでにイメージがあふれている環境に生きていたから、初めて触れたベンヤミンの先鋭かつ深い議論もわかりやすいように思えた。複製技術が芸術を変えたという論旨だけを汲みとって、自分たちの探究に対する強力な支持を見いだしていた。しかも「アウラの喪失」「礼拝的価値／展示的価値」といった、飛びつきやすい恰好のキーワードがあった。それらがどんな文脈からきているかも充分に考えないで、わかったつもりになっていた。ベンヤミンはヴィジュアルな表象について考え、それを介して歴史を認識させる思想家であるという程度の理解であった。

たしかに複製技術の発達によるオリジナルとコピーの差異の消失等々は、今日では常識化していてなんの目新しさもないが、書かれた時代を考えると驚くべきラディカルな芸術論であることは否定できない。しかし最初に読んだときに、ベンヤミンが言おうとしていたことを、どれほど的確に認識しえていただろうか？

「これまでの芸術を清算しよう」という過激な主張のなかに、あたらしい芸術についてどのように知的な感受性が孕まれ、歴史についてどのような認識があるかに関して繊細な注意を払って読み取ってはいなかった。まったく遅ればせなのだが、われわれはこの有名な論文をあらためて読み直し、そこから二〇世紀の歴史を芸術の変貌のなかに読み取っていたベンヤミンという思想家の方法のなかに、われわれの関心をどのようにもちこめるかを考えてみよう。

ことの始まり

『複製技術時代の芸術作品』は、一九三三年にベンヤミンがフランスに亡命した後、パリで書かれ、最初に日の目をみたのは、一九三六年、フランス語に翻訳されたテクストだった。

もともと複製という問題がベンヤミンにとって初めて現れたのは、三〇年にパリに滞在していたときに親しくしていたアドリエンヌ・モニエ(「本の友の家」書店の女主人)との会話のなかであった。ベンヤミンはそのとき受けた強い印象を、パリ亡命後に数年かけてこれほどまでの思想に発展させたというのだから、偶然とはいえこの論文はよくよくパリに縁が深かった。それも不思議なことではない。パリという都市を対象にしたパサージュ研究は続いていたが、それが十九世紀の芸術の運命を描いていたとすれば、ベンヤミンにはその運命の中から時計の音が聴こえてきて、現在の芸術の運命を描くことを促しているように思えたのだという(マクス・ホルクハイマー宛書簡、一九三五年十月十六日)。『複製技術時代の芸術作品』と『パサージュ論』というふたつの仕事はばらばらのものではなく接続していたのである。

ホルクハイマーに手紙を書いた頃には、概略はできていて、それから年末までのあいだに、ベンヤミンはドイツ語の原稿を書きあげていたようである(ヴェルナー・クラフト宛書簡、一九三五年十二月二七日)。さらにアルフレド・コーンに宛てた手紙には、翌三六年一月末にはこの論考の出版計画が進みはじめたこと、すでにニューヨークに移っていたフランクフルトの社会研究所によってフランス語に訳されて紀要に掲載されることなどが述べられている。なぜフランス語なのか? 研究所がフランス人にその存在を知ってもらいたかったからだといわれている。いずれにしても十二月から一月のあいだに最初のドイツ語ヴァージョンのタイプ打ち原稿ができ上がっていたことはたしかなようである。翻訳はそれをもとに行われた。その手紙には、翻訳は有能な人物に託されるだろうが、非常に困難だろうとも書いている(訳者には有能なる文学者ピエール・クロソフスキーが選ばれている)。

修正されたフランス語テクスト

一九三六年の初めに進められた翻訳の進行はスムースだったとは言いがたかった。その過程は、関係者相互の間で交わされたいくつもの書簡から想定できる。いろいろな事情があるにせよ、最大の問題は研究所(おそらくはホルクハイマー)による修正であった。印刷に回す時間も急いでいたようである。細かい経緯は不必要だから省くが、主たる対立はホルクハイマーのパリでの代理人M・ブリルとベンヤミンとのあいだに起こっていた。当時、研究所のパリの責任者だった社会学者レイモン・アロンは拙速を望まなかったようで、三六年二月、ホルクハイマーへの書簡で議論を尽くすことが望ましいと書いている。ベンヤミンはアロンに全部に目を通してもらうことを希望していたので、アロンとベンヤミンが顔を突き合わせながら翻訳を検討することもあった。

ベンヤミンは、翻訳が隅から隅まで正確であることを望んだが、修正や削除は訳者のクロソフスキーに問題があったのではない。クロソフスキーはいったん原稿に馴染むと、非常に深い理解力を示した。彼らは共同して作業し、締め切りの切迫感を除くと、その時間はベンヤミンにとって豊かでもあれば、楽しくもあったようである。彼らはまる二週間、訳稿の仕上げに昼も夜も掛かりきりのこともあった。

ホルクハイマーからの修正要求は主として政治的な言い回しにかかわっていた。私にはホルクハイマーの要求がどういう理由からなされたのか、推測することしかできないが、ホルクハイマーはベンヤミンの直截な言い方やその根拠に危惧を抱いたのかもしれない。

しかしでき上がったフランス語訳と、現在決定稿と見なされているドイツ語テクストを比較してみるとかなりの差異があることは否めない。とくに極端なのはフランス語訳ではドイツ語原稿の前書きにあたる一節がそっくり省かれていることである。そこには「現在の生産の諸条件のもとにおける芸術の傾向」について弁証法的な史的唯物論によって考察する意図や、この論考で取り上げる問題の範囲が慎重に書かれていたことを思うと、ずいぶん大胆な削除だと思われる。しかし、それは意図的な削除というより、印刷に回された原稿が欠損だらけでしかたなかったといわれている。比較対照した結果を、ここですべて挙げる必要はないが、この論考の最後の文章にあるファシズムの政治の芸術化に、「コムニスムス(共産主義)」が芸術の政治化をもって対抗するという部分では、「コムニスムス」は「人間性の構成的な力」と書き替えられている。このような修正を見いだすと、書き替えを要求した側が政治の歴史的状況をどのように見通していたのか、なんらかの勢力に対する気遣いなのか、と思われる。

この論文のひとつの特徴は、ベンヤミンがブレヒトの影響もあって史的唯物論にもっとも接近していることにあるが、こうした修正はまさにその点をぼかすように行われている。深読みするならベンヤミンの政治的ナイーヴさにたいして、先走りした言葉は用心したほうがいいという老婆心だったのかもしれない。

いずれにしろフランス語の『複製技術時代の芸術作品』が一九三六年に出版される。ベンヤミンは翻訳作業を通じて自分のドイツ語原稿にも手を入れたに違いない。アドルノ宛ての手紙に、こういう翻訳作業に集中したおかげで、ドイツ語原稿からの距離がとれるようになったと書いている。

「古典」の注釈

字義どおりの注釈は私には似合わない仕事だが、ベンヤミンの諸作品とくに『複製技術時代の芸術作品』のように、いまなお刺激的なテクストは、読むにつれて広がりや奥行きを見いだす興奮と、楽しさがある。彼は『ブレヒトの詩への注釈』の冒頭で面白いことを言っている。

注釈は、価値評価とはいささかちがう。価値評価は、いやがうえにも慎重に明暗を光と影に分けてゆくものだが、注釈はそれとはちがって、対象とするテキストを古典とみなすところから、したがっていわばひとつの偏見から出発するものであり、また、テキストの美しさとポジティヴな内容とだけを問題とするものである。（『ブレヒトの詩への注釈』）

私のベンヤミンのテクストに対する態度は、ベンヤミンが「注釈」と呼ぶものによく似ている。われわれは、芸術だけでなく政治を含め、彼が生きていた時代の全般的情勢（それを「歴史の現在」と呼ぶことにする）にどんなスタンスをとっていたか、から始めればよい。彼が世を去ったあとに起こった出来事(とくに戦争)をわれわれは経験しているし、当時、彼を捉えたさまざまな問題(たとえばオリジナルとコピーの差異の消失など)が、もはや珍しい議論ではないとしても、それによってこの論文をベンヤミンのいった意味での古典として読む重要さは失われない。イタロ・カルヴィーノがいったように、「古典とは、最初に読んだときと同じく、読み返すごとにそれを読むことが発見である書物である」。そのようにして読まないかぎり、ベンヤミンの方法、あるいは企ての顕在的かつ潜在的な弁証法は見えてこない。『複製技術時代の芸術作品』は完全に古典である。不足を論じるより、その積極的な意義を見いだすべきである。古典とは権威をもって存在するのではない。ベンヤミンは同時代的な関心から『複製技術時代の芸術作品』を書きながら、綱渡りするようにしてあたらしい根源的な問題にたどりつく。われわれもまたあたらしい発見に幾度も出くわすことだろう。

2 芸術の凋落

変わりゆく芸術

『複製技術時代の芸術作品』は、複製技術が登場し、芸術が大衆に開かれるようになって以来、変化せざるをえなかった芸術の運命をきわめて大胆に論じている。もし従来の芸術の観点に立てば、芸術は「凋落（Verfall）」していると言わざるをえない。だがそれは本当に「凋落」と言うべきものだろうか？

ベンヤミンはこのような落ちぶれていく現象に、終末感じみた妄想をいだかなかった。彼はすでに登場してきた別の芸術の出現に眼を向けることになる。彼の時代では、それは写真と映画だった。なかでも映画の登場は、他の芸術を破壊しかねない影響をもっていた。「文化遺産における伝統的価値を、それ〔映画〕はきれいに清算している」し、「〔芸術の〕全般的な清算に向かって、人びとを招いていた」。こうした事態は、この論考で言及されている映画作家・理論家のアベル・ガンスをはじめとする初期の騒々しい映画論の著者たちは自覚しなかったかもしれない。

現代はどうか？　近代以降の経験をつんでいるから、さすがにそこまではっきりと過去の芸術をいっさい棄てようと論じる過激な説は少なくなった。それどころか、技術はさらにあたらしい段階に入ったし、社会は危機の度合いを増しているのに、あたかも「芸術」を自明のこととし、「美術館」を作家の活動の場とすることに疑問を抱かないでいようと大衆に合意を求めているかに見える。現代の状況では、「芸術」とは、大衆社会の共同幻想にしかすぎないと思えるくらいである。ここではわれわれの時代を論じるのではない。『複製技術時代の芸術作品』でベンヤミンが提起した芸術の理論を、よりよく理解することである。歴史の異なる時代は、異なる「知覚」をもち、芸術の形式も別のものになる、それを通じて社会変動を認識しようとベンヤミンは提案している。あるいはそのように「歴史」を考えるべきだ、と。

二つの問題——技術と知覚

ベンヤミンは歴史の大きなスパンから眺め、これまでの「芸術」の存在が、複製技術とともに稀薄になりつつあることを認識していたのである。ベンヤミンは、芸術作品の質が凋落することではなく、これまで形式／内容の枠組みで捉えられてきた、いわば自立的な芸術理論が根底から崩れていく歴史を感じていたのだ。そうでなければこの論文は書かれなかった。

ベンヤミンの議論のユニークな論点は、第一に、芸術生産の技術に注意を向けたことであり、第二に、ある時代に形成される知覚を重視したことである。この二つの問題が『複製技術時代の芸術作品』全体をつらぬいている。そもそも芸術というものが時代の形成する知覚と切り離せないとすれば、そのことは時代を超えて芸術を成立させる共通の根拠がないことを示しているかもしれない。これから『複製技術時代の芸術作品』を論じていくが、その全体を通じて技術と知覚の緊密な連関をたどることになろう。

大衆の時代での芸術作品

ベンヤミンは視覚芸術よりも文学により大きい関心を抱いてきた。ドイツロマン派の芸術批評の研究、見事なボードレール論、あるいはカフカ論、シュルレアリスム論

(その文学)などがあるのに比すると、美術ないしは美術家を論じた評論は数少ない。しかし同時代の美術の動向を知らなかったわけではないし、それらに共感をもつかどうかはともかく、鈍感ではなかった。あとで触れるが、写真についての判断は驚くほど正確である。彼は同時代の芸術家、写真家たちの仕事を目の当たりにしながら、古くからの芸術が「凋落」していくのを、大衆を主人公とする社会の現象として経験しつつあったのである。

彼は、芸術がどんな世界におかれているかを正確に認識することから始めようとした。複製技術が支配的になった世界での「芸術」の位相である。しかもそれは芸術のアヴァンギャルドと呼ばれたものの動向を論じることではなかった。芸術と分離できない人間の歴史を、どのように認識するかについての理論を求めたのである。

芸術は盛りをすぎた——ヘーゲル

近代は芸術が大衆によって鑑賞される時代になったにもかかわらず、芸術は盛りをすぎていた。立場はちがうが、ヘーゲルが、美学なる芸術理論は芸術が盛りをすぎたときに始まるとしていたことをベンヤミンが知らないはずはなかった。ベンヤミンはヘーゲルの観念性には同調しなかったが、たえず『精神現象学』と『歴史哲学講義』のヘーゲルを意識していた。ヘーゲルは『美学講義』の初めの方で次のように語っていた。

芸術の最盛期はわたしたちにとって過去のものとなったといわねばならない。芸術はわたしたちにとって、もはや純正な真理と生命力をもたず、かつてそうであったように、現実にその必要性が感得されて、高い位置を占めることはもはやなく、むしろわたしたちの観念のうちに生きるといえる。芸術作品によってわたしたちのうちにかきたてられるのは、直接の満足感にとどまらない。わたしたちは、芸術作品の内容と表現手段を考察し、両者の適合・不適合を考察することによって、判断をくだします。だから、芸術が芸術としてそこにあるというだけで十分な満足が得られた時代にくらべると、現代のほうがはるかに芸術の学問を必要としている。芸術を前にしてわたしたちは思考へとかりたてられますが、思考の目的は、芸術の再興にあるのではなく、芸術とはなにかを学問的に認識することにあります。（『美学講義』）

ヘーゲルがこのように芸術が盛りをすぎたと書いたのは、ちょうど芸術作品がもともとあった場所から、当時、あたらしく生まれてきた美術館に移される時代の経験にもとづいていた。

ベンヤミンが『複製技術時代の芸術作品』で使った用語では、ヘーゲルは芸術の礼拝的価値から展示的価値（この二つの価値はベンヤミンのキータームなのであとで説明する）への移行を経験していた。それがもともとあった場所から美術館に移されることは芸術の死でないか、という意見はフランス革命の頃、最初の公共の美術館が成立しようとしていたときに、フランスの批評家たちの間にもあった。伝統的な芸術の死の後で、大衆は大挙して美術館をおとずれることになる。そうはいってもベンヤミンからみれば、ヘーゲルたちの経験の根底にはまだ「アウラ」（これもベンヤミンのキーワードなので、あとで詳説する）があったのである。『複製技術時代の芸術作品』でベンヤミンが考察しようとした重要な現象のひとつは、その「アウラ」が失われる歴史の過程であった。彼の関心は、当時の社会的諸条件のもとで「芸術」と、それを受け取る人間の関係がどんなに変わったか、その傾向を捉える諸概念を探究することであった。この変化はたんなる趣味の変化とか流行の問題ではなかった。もっと根本的な歴史の変動であった。この歴史的変動を無視し、すでに効果を失っている「芸術」に関する伝統的な諸概念(「創造性や天才性、永遠の価値や神秘の概念」)を温存するなら、「芸術」はファシズムによって巧みに利用されてしまうと彼は考えたのである。実際、ナチ時代の建築家アルベルト・シュペアや彫刻家アルノ・ブレーカーの仕事を検討していくと、すべてが伝統的かつ常識的な概念の誇張なのだ。

ベンヤミンは「芸術」の常識的な諸概念が、政治的に危険なものになりうることをよく知っていた。「芸術」はすでに絶対に不変でも、不滅のものでもなくなり、思考によって「芸術」となるものであった。いわば物質的存在と思考との、弁証法的な関係によって成り立つものであった。

ベンヤミンのデュシャン論

このことは具体的に示される。二〇世紀の初めを生きたわりには、現代美術についての論考を書くことが、比較的少なかったベンヤミンだが、『複製技術時代の芸術作品』ではダダイズムについての興味深い指摘がある。それ以上にマルセル・デュシャンについて書いた文章は、芸術の知的変化をはっきり指摘している。この文章は本書収録のテクストにはないが『複製技術時代の芸術作品』の草稿の補遺として残っている。

……デュシャンはフランスの前衛のなかでもっとも興味深い現象のひとつである。彼の生産は非常に少ないが、影響は大きい。彼を、なんらかの流派に結び付けることはできないだろう。彼はシュルレアリスムに近かったし、ピカソの友人でもあった。しかし彼はつねに分類不可能だった。彼の芸術作品〔あるいはその価値〕の理論は、最近、一連のシリーズ『彼女の独身者たちによって裸にされた花嫁、さえも』によってあきらかにしているが、それはほぼ次のようなことである。ある物が芸術作品として眺められるやいなや、それは本来の使用機能を絶対的に辞めてしまう。だから現代人は、芸術作品としての役目を果たすと認可されたものにおいてよりも、むしろ〈この使用状況から引き抜くか、廃棄処分にされた〉物における経験(Erfahrung)で、芸術作品独特の効果を感じるのである。(Ms. 394)

この文章は一九二六、二七年に展示された『彼女の独身者たち……』(通称大ガラス)よりも、便器を使った『泉』(一九一七)の方がふさわしい。この作品は、便器に何の手も加えず、ただ“R. Mutt”と署名しただけである。これは決して無責任に芸術の終焉とか、絵画の終わりとかいって済ませられる事態ではない。たしかにかつての堂々たる芸術作品に比べると、芸術の凋落ということができる。しかし右のデュシャンについてのベンヤミンの言葉は、いまや芸術作品として効果をもつのはなんであるのか、明快に語っている。

それと同時に、ベンヤミンは芸術とは観客の受容体験なしには成立しないことを示唆している。芸術といっても、誰かが、古くさい作品の知的、感覚的な経験をいまなお「芸術的な経験」と呼んでいるだけなのかもしれない。そうだとすると、「芸術」は受け手のなかに、まるで誰のものでもない追憶のように、何時の時代でも戻ってくる古い呪文のようなものでないのか？　芸術は存在し、かつ存在しない。ベンヤミンはこの芸術概念の揺らぎのなかに、歴史の大きな曲がり角を感じ取った。彼が理論的にあきらかにしようとしたのは、この芸術概念のあやふやになっていく歴史的変化の様相であった。一般的に「芸術」なる概念が確固たるものでなくなったという認識のなかで、「複製技術」が決定的な要因として浮かび上がってきたのである。

3

複製技術というパラダイム

史的唯物論とベンヤミン

『複製技術時代の芸術作品』の冒頭の言葉が勢いよく飛び込んでくる。『複製技術時代の芸術作品』のI節は、上部構造／下部構造という言葉からして、今日では多少とも人を驚かせるかもしれない。ベンヤミンは教条的なマルクス主義は受け付けなかったが、紛れもなく史的唯物論の影響を受けていた。人間の集合を扱い、そこでの生産力や生産関係に注意を向けていた。

『複製技術時代の芸術作品』の翻訳者であり、他の会合でもベンヤミンと顔を合わせていたクロソフスキーの証言を参照しておこう。彼は、後日、アドリエンヌ・モニエ宛の手紙のなかでベンヤミンについて「確信的マルキスト——しかしすべての教条的な応用につねに覚めた懐疑をもち、無数の過誤をあらさがしして告発するやり方に対して辛辣な皮肉をもった」人物だったと書いている。彼の史的唯物論は仮面でもなく、自己を偽ってもいない。ファシズムが荒れ狂う時代に、亡命していたベンヤミンが革命的な史的唯物論で思想的に生き抜くことができたのは当然のことだった。彼の革命的な理論は、内面的にはユダヤ的救済の思想が、世俗的な政治的革命の用語に変容してしまった結果だったと考えるのが妥当なところかもしれない。

著作のネットワーク

ベンヤミンにとって、興味あるマルクスとは、「予測的な価値をもつように」研究を構成しているマルクスであった。資本主義は今後、プロレタリアの搾取を次第に強化していく一方で、自らを解体するだろうとマルクスは予測した。ベンヤミンも自分の芸術理論が「予測的な価値をもつ」研究たらしめようとしていたことを仄めかしていたのだ。マルクスは資本主義的な生産様式を分析したのだが、ベンヤミンはいわばその上部構造である文化を分析しようとした。ベンヤミンは「生産条件の変化が、文化のすべての分野で効果を表わすまでには、半世紀以上の時間が必要だった」と述べている。彼は史的唯物論に照しあわせると、次のように自分の意図はあくまで現在の芸術の状況にかかわっているのだと『複製技術時代の芸術作品』のI節で示している。

そのような予測的要求に応えるものはしかし、権力奪取後のプロレタリアートの、ましてや無階級社会の、芸術にかんする諸テーゼではない。むしろ、現在の生産の諸条件のもとにおける芸術の、発展の傾向にかんする諸テーゼである。生産の諸条件の内包する弁証法は、経済においてに劣らず、上部構造においても認められるものなのだ。それゆえ、後者の諸テーゼの闘争的価値を過小評価することは、間違っていよう。この諸テーゼは、数かずの伝来の概念を――創造性や天才性、永遠の価値や神秘の概念を――切り棄てている。（一三五―六ページ。傍点――引用者）

つまりベンヤミンにとっての関心は、あくまで現在の芸術の傾向であり、それは上部構造であるとしても、政治的機能をそなえていることを主張したかったのである。『複製技術時代の芸術作品』にいたるまでに、ベンヤミンは『写真小史』（一九三一）を書き、さらに講演にもとづいて『生産者としての作家』（一九三四）を発表していた。

両方とも『複製技術時代の芸術作品』にとって必要不可欠の試論であった。この二つが統合されてやがて『複製技術時代の芸術作品』ができ上がっていく。また他の著作(たとえば『ドイツ哀悼劇の根源』)も関連をもっている。

『ドイツ哀悼劇の根源』では芸術の凋落との関連で美術史家アロイス・リーグルの「芸術意欲」に触れられていたが、『複製技術時代の芸術作品』でも、リーグルは「芸術意欲」のみならず、知覚の問題を介して歴史にいたるベンヤミンの計画を誘発している(リーグルについてはあとで詳述する)。さらに歴史哲学がつねに目標であるかぎり、最後の作品である『歴史の概念について』にまでつながっている。

つまりベンヤミンの書物はすべて一点に集中しているのではなく、ネットワーク状につながりあっている。これらのなかでとくに『写真小史』『生産者としての作家』『複製技術時代の芸術作品』の三冊は相互に重複するほど密接な関係にある。この時期、ベンヤミンは『複製技術時代の芸術作品』で明らかにされていく芸術の傾向に熱中していたのであろう。後で述べるように、『写真小史』は同時代の写真家の仕事を的確に見抜き、また従来の芸術がこうむった打撃についての興味深い洞察がある。

『生産者としての作家』は史的唯物論への接近が語られている。

『生産者としての作家』

一九二〇年代末から三〇年代にかけてファシズムが進行するなかで、いわゆる左翼知識人がこの危機に対応する真に政治的な役割を果していないことにたいする批判を通して、ベンヤミンはブレヒトから作家のなすべき実験について学んでいた。その実践の長所を理解(同時に論評)しながら、やがてその思想的成果は『生産者としての作家』というかたちをとって世にでる。ベンヤミンは大きな歴史の転換点を生きており、それは革命的な理論で確かめる以外にはないと思っていたのだ。彼はブレヒトにその実例をみた。ベンヤミンはこの『生産者としての作家』のなかで、きたるべき『複製技術時代の芸術作品』の研究の方法を説明している。

『生産者としての作家』で、これまでのように、作品なり、書物なりを、固定したものとして扱うのではなく、またある「作品が時代の社会的な生産関係にたいしてどういう立場に立っているか」と問い掛けるのではない。「生きた社会関係のなかにくみこまなければならない」という立場に立っていた。

つまり、ある文学が時代の生産関係にたいしてどういう立場にたっているのかと問うまえに、生産関係のなかでどうなっているのか、と問いかけてみたい。この問いは、ある時代の作家が作品を生産するその生産関係の内部で作品がになう機能に、直接むけられている。別のことばでいえば、この問いは、作品生産における作家の技術に直接むけられている。(『生産者としての作家』)

生産関係の「なか」と、生産関係に「たいして」とでは、作品の位置づけ、問題の研究の方法に大きな差異がある。ベンヤミンが史的唯物論に関心を抱いたのは、『複製技術時代の芸術作品』に限っていうと、作家の「技術」という概念を引き出すことにあった。それが作品の生産装置になる。複製技術時代の特徴は、この「技術」として機械的な「複製技術」があらわれたことである。写真という複製技術が生産装置になった芸術作品を考える地平が浮かびあがる。これらはもう少し先で論じよう。

芸術作品の生産装置

ベンヤミンの主たる関心が『生産者としての作家』では文学にあるから、文学作品の政治的傾向と文学的な質を、生産装置の概念の進歩や逆行に照らして分析する。ベンヤミンはしばしばブレヒトを援用する。

〔ブレヒトは〕生産装置を社会主義の方向にそって可能なかぎり変革するという作業を、同時的におこなうことなしには、その生産装置に供給すべきではない、というはるかな射程をもつ要求を、知識人のまえにもちだした最初の人物である。「《試み《フェアズーヘ》》の出版は」、と作者は同名の作品集のまえがきに書いている、「ある種の仕事がきわめて個人的な体験(作品という性格をもつもの)ではもはやありえず、むしろ一定の施設とか機関の利用(改造)にむけられるという時点で成立する」。精神の復興——ファシストたちがさかんにわめきちらしているものは、まさにこれだ——がのぞまれるのではなく、技術の革新が提議される。(『生産者としての作家』）

ブレヒトは技術とは作品の生産に向けられると同時に社会の改造に向けられるように、作られねばならないと主張する。ベンヤミンがブレヒトから受け継いだものも、芸術の生産装置をつくりかえることである。しかもその改造には、大衆の存在がかかわっている。ベンヤミンはブレヒトの思想を受けてこう書いている。

文学諸形式の改造過程をふりかえってながめるなら、……あの激動する大衆のなかになにかが入りこみ、そこから新しい形式が鋳造されてくるのが見えるだろうし、また推測もしうるだろう。そうすれば、この改造過程の範囲についての正しい知識をあたえてくれるものは、あらゆる生活状態の文書化〔Literarisierung〕であるということ、またその改造過程が――多かれ少なかれ完全に――展開されうる状況の高揚をつくりだすものはまさに階級闘争の立場である、ということをハッキリ確認できるだろう。（『生産者としての作家』）

このことをベンヤミン独特の用語に近づけていうと、「あらゆる生活状態の文書化」とは、生活のなかに歴史の根源的な姿をむきだしにすることである。そのとき、ベンヤミンが否定すべきものとして念頭においていたのは、文学や写真における新即物主義であった。それらはいかにも生活を描いているようだが、その実、それらを当世風に消費しやすく形式化したものにすぎない。「あらゆる生活状態の文書化」とは、そうした当世風に捏造されたアウラを引き剝がしたものをいうのである。「文書化」自体が生産装置の改造を意味する。言説化しながらブルジョワジーの口に合うような形式性を脱色していく技術である。

ダダイズムの評価

『写真小史』や『複製技術時代の芸術作品』になると問題はずっと具体的になる。ベンヤミンはダダイズムの試みを次のように評価している。

ダダイズムの革命的な力の基礎は、芸術をその根源的なたしかさにおいてためすことにあった。絵画の要素と結びついたキップとか糸巻きとかタバコの吸いさしから、静物画がつくりだされた。そこでは、ひとつの枠のなかに全体があった。そして、それを公衆にしめして、「見よ、きみらの額縁が時代を爆破する」と宣言した。日常生活のもっともささいな、だが出所たしかな断片が、絵画以上のものを語り、本のページについた殺人者の血ぬられた指紋が、テキスト以上のものを語る、と。(『生産者としての作家』)

さらに『複製技術時代の芸術作品』では、この方法を受けて次のように述べる。

このような手段をもってかれらは、かれらの作品から容赦なくアウラを消滅させ、創作の手段を用いながらも、作品に複製の烙印を押している。(一八〇ページ)

ベンヤミンはダダイズムをたんなる破壊とは考えていなかった。右の引用で「本のページについた殺人者の血ぬられた指紋」とは、フォトモンタージュを発明したジョン・ハートフィールドの作品のことである。彼の作品のなかでどれほどの革命的な要素が救出されたか、ブックカヴァーがそのまま政治的な道具になったかを考えてほしいとベンヤミンは述べている。

創造と受容の結合

ヴェルナー・フルトによると、複製についてのベンヤミンの態度は最初は否定的であったようである。ベンヤミンは多くの場合、両義的な態度をとることがあった。写真に撮られた建築について、このような複製は建築の経験を破壊してしまうのではないかと思ったベンヤミンは間違っていたのではない。建築の写真はわれわれが建築を経験するのと決して同じ経験をあたえるのではない。写真は建築を視覚的形式に限定してしまう。

一九三〇年の『パリ日記』によると、建築写真にためらいがちであったベンヤミンは、アドリエンヌ・モニエとストラスブールのカテドラルの絵葉書をまえにして話し合った。そのときのモニエの言葉はベンヤミンの心に残ったようである。モニエは写真によって複製された建築は、縮小されることによって認識されやすくなることを語っただけでなく、かつての傑作というものはつねに集団的な創造であったという点を強調した。ベンヤミンにはこの集団的創造の方が気になった。そこでは制作者と受容者がともに含まれている。そこから飛躍しながら、ベンヤミンにとっては複製技術を考察するとは、たんにそっくり再現する技術を問題にするというより、制作と受容を同時に包み込んだ世界の全体を考察する水準を発見するまで考え抜くことになっていったのである。『複製技術時代の芸術作品』は、こうした考察の結果だった。

複製という技術的パラダイム

「複製技術」というパラダイムについてベンヤミンはどのように考えていたか？

ベンヤミンは芸術の複製を歴史的に素描する。複製は今に始まったことではない。人間の作ったものは常に「模倣可能」であった。師匠の作品を真似ることは弟子にとっては修行になったし、ときには師匠の作品の普及、あるいは別人の利益にもなった。

ベンヤミンはそのような複製に関心があったわけではない。それに比べるとはるかにあたらしい、技術的に(メカニカルに)芸術作品を複製することが興味の対象だった。

複製技術は歴史的にかなりの時間がかかりながら、断続的に進んでいった。まず木版、それから中世のあいだに彫刻銅版画と腐食銅版画、やがて印刷術によって文字も複製可能になった。十九世紀にはこれに石版画がつけくわわった。これらのうち印刷術の影響は見逃せない。手写本から印刷本への発達は読書の経験そのものを拡大した。しかしなによりも現在への認識から始め、世界史的な尺度で考察しようとしているベンヤミンにとっては、印刷術が文学や読書に呼び覚ました影響も、たしかに重要なものではあるが、たんに「ひとつの特殊な例」にすぎなかった。

彼にとって興味があったのは複製という技術的パラダイムが人間の歴史になにをもたらしたかである。すばやくイメージをつくり、流通させうる石版画の社会的影響は大きかったが、まもなく写真に追い越されてしまう。複製技術のなかで、写真は決定的な段階を画したものだった。写真は、はじめてイメージの制作を手から解放した。手で描くより、眼=レンズで見る方が対象をすばやく捉え、しかも自動的に画像化できる。

技術的パラダイムは、どんな場合でもまだ実現しないものの可能性を含んでいる。その可能性がなんであったかは後の出来事が起こってからはじめてわかってくる。ベンヤミンが「石版画が絵入り新聞の可能性を秘めていたとすれば、写真はトーキーの可能性を秘めていたわけだ」と述べているのは、パラダイムとしての複製技術の可能性が次第にわかってくる過程を示していたのである。写真の歴史のなかでも、まだフィルムの感度が低くて、とても動いているものを映像化できない時代でさえ、動いているようなポーズをさせてスタジオで撮影するということが起こっていたし、さらにマイブリッジやマーレイらが、連続写真によって動きを分析的に撮影するようになっていた。映画がそこから生じるのはもう時間の問題であった。

ベンヤミンが複製技術というパラダイムをとりあげたことは、その後の複製技術の進展を考えると、軽い驚きを覚える。もちろんベンヤミンはエレクトロニクスや遺伝子の問題は知る由もなかったが、複製はついに生命にまで到達しようとしている。ベンヤミンがそうしたことまでわかっていなかったのは当然である。しかし複製技術がいつか人間の歴史を揺るがせることまでは感じとっていた。彼はその時代の最新の芸術である映画までの芸術としての可能性を論じたのである。

芸術が失ったもの

ベンヤミンの立てた問題は、複製技術の出現を含んだ社会に、従来の芸術がおかれるとどうなるか？　であった。

……一九〇〇年を画期として複製技術は、在来の芸術作品の総体を対象とすることにより、芸術作品の影響力に深刻きわまる変化を生じさせる水準にまで、到達したのだが、ことはそれだけでは済まず、芸術家たちの行動のさまざまな在りかたのうちにも、複製技術はそれ自体、独自の場を確保する水準にまで、到達したのである。この水準を探究するためには、その二つの異なった発現形態——芸術作品の複製と、映画芸術と——が、従来の形態の芸術にどのような逆作用を及ぼしているかを、明らかにすることが、何より役立つにちがいない。（一三八ペー

ジ）

複製技術から従来の芸術への逆作用を調べるには「二つの異なった発現形態」つまり芸術作品の複製と映画芸術がある。映画芸術については後半で論じるが、芸術作品の複製は、すでに十九世紀の半ばの写真の初期には行われていた。写真家シャルル・マルヴィルはルーヴルの芸術作品を撮影していた。写真家シャルル・ネーグルは中世の建築の遺跡を記録して歩いた。多少滑稽に思えるだろうが、芸術作品を撮影した写真も芸術作品であるかのように扱われ、展示されることもあった。その後、複製技術も印刷技術も飛躍的に発達し、画集、写真集はおびただしく社会に氾濫するようになった。それにたいしてもはや誰も違和感を感じなくなった。アンドレ・マルローをして『想像の美術館』といわしめる状態が生じた。しかしベンヤミンの追究は何が芸術に生じたか、だった。

最高の完成度をもつ複製の場合でも、そこには〈ひとつ〉だけ脱け落ちているものがある。芸術作品は、それが存在する場所に、一回限り存在するものなのだけれども、この特性、いま、ここに在るという特性が、複製には欠けているのだ。（一三九ページ）

これに続けてさらに次のように追究する。

オリジナルが、いま、ここに在るという事実が、その真正性〔Echtheit〕の概念を形成する。そして他方、それが真正であるということにもとづいて、それを現在まで同一のものとして伝えてきたとする、伝統の概念が成り立っている。（一三九―四〇ページ）

芸術作品の技術的な複製は、芸術が根づいてきた価値の伝統を崩壊させる。『複製技術時代の芸術作品』のⅢ節で、ベンヤミンはこの論文の中心的なテーマのひとつにとりかかる。複製に欠けているのは「いま、ここに在る」ことである。芸術作品は

「この一回限りの存在によってこそその歴史をもつ」。作品がどんなに傷んでも、ドラクロワの絵のようにカンヴァスと絵の具面とが遊離してしまうほどになっても、修復前のレオナルド・ダ・ヴィンチの『最後の晩餐』のようにほとんど見えなくなっても、「オリジナルがいま、ここに在るという事実が、その真正性の概念を形成する」伝統は、この真正な芸術を、同一のものとしていままで伝えてきたということに根ざしている。

アウラの喪失

芸術作品は技術的に複製されうる。ベンヤミンは二つの理由を挙げている。第一に、「技術による複製はオリジナルにたいして、手製の複製よりも明らかに自立性をもっている」。あたらしい技術は作品の外部にあり、その技術的能力は芸術外の科学技術に依存しているからである。複製の結果はさまざまな可能性に開かれていた。たとえば美術館で見ているだけではわからないところまで、クローズアップによって画面のディテールを目に見えるようにできる。第二に、複製された作品はどこにでももっていけることがあげられる。「オリジナルの模造を……想像も及ばぬ場所へ」移動させせることができる。この両方とも、現在のわれわれならほとんど日々経験している。だがこのように当たり前になった事態に、ベンヤミンは歴史の転換点を見いだしていた。

このような状況の変化は、芸術作品の存立に手を触れるものではないかもしれない――が、ともかく作品が、いま、ここに在るということの価値だけは、低下させてしまう。……この過程は、作品のもっとも敏感な核心に触れてゆく。……その核心とは、作品の真正性だ。ある事物の真正性は、その事物において根源から伝えられうるものの総体であって、それが物質的に存続していること、それが歴史の証人となっていることなどを含む。歴史の証人となっていることは、物質的に存続していることに依拠しているから、この存続という根拠が奪われている複製にあっては、歴史の証人となる能力もあやふやになる。……こうして揺らぐものこそ、事物の権威、事物に伝えられている重みにほかならない。（一四〇―一ページ）

ベンヤミンはこの重みを総括してアウラと呼ぶのである。重みを感じてきたのは、受容者である。複製技術時代の芸術受容者たちは、もはや芸術にこのアウラを感じないのである。ベンヤミンはいう。

複製技術時代の芸術作品において滅びてゆくものは作品のアウラである。（一四一ページ）

4　アウラの消える日

アウラ――集団の幻想

ベンヤミンにおいて「アウラ」なる言葉が登場したのは、『写真小史』(一九三一)が最初である。『写真小史』には、すでに『複製技術時代の芸術作品』に向けた視野が開かれていた。

ベンヤミンは複製技術によって消滅する心的な現象を、包括的に「アウラ」と呼ぶことになる。ここで私は「心的な現象」といったが、ベンヤミンは「アウラ」という言葉で、事物の権威、事物に伝えられている重みを総括したのである。従来の芸術作品にそなわる、ある雰囲気である。

おそらく認識の微妙なズレがある。多くの人はベンヤミンが多少とも曖昧にしていたこともあって「アウラ」を対象に備わる性質のように受け取っている。「アウラ」とは、芸術が芸術として存在していることの謎のようなもので、そのかぎりでは対象から発散するともいえる。しかし、アウラを感じうるかどうかは社会的な条件に依存するから、われわれが集団内で芸術に抱く信念というほうが妥当である。ここではむしろわれわれが芸術文化にたいして抱く一種の共同幻想として考えておこう。それが壊れていくことは、われわれが生きて、包みこまれている社会になにかが起こり、この幻想、芸術や伝統についての信念が崩壊したことである。

『写真小史』

『写真小史』には『複製技術時代の芸術作品』で述べられることになる重要な概念、アウラの崩壊、この時代の知覚、歴史意識など、ほとんどすべてが語られている。ここで『写真小史』について述べるのは、あくまで『複製技術時代の芸術作品』を理解するためであるが、『写真小史』はそれ自体だけで実に奥行きのある論文である。「アウラ」の概念は、『写真小史』のなかでの記述が『複製技術時代の芸術作品』でほぼ同じ文章で反復されている。その違いはほとんど記憶想起の誤差の範囲だといってよい。『写真小史』では次のように語られる。

そもそもアウラとは何か。空間と時間の織りなす不可思議な織物である。すなわち、どれほど近くにであれ、ある遠さが一回的に現れているものである。夏の真昼、静かに憩いながら、地平に連なる山なみを、あるいは眺めている者の上に影を投げかけている木の枝を、瞬間あるいは時間がそれらの現われ方にかかわってくるまで、目で追うこと——これがこの山々のアウラを、この木の枝のアウラを呼吸することである。

『複製技術時代の芸術作品』では、右の『写真小史』での描写を次のように引用しつつ先に論を進める。

いったいアウラとは何か？　時間と空間とが独特に縺れ合ってひとつになったものであって、どんなに近くにあってもはるかな、一回限りの現象である。ある夏の午後、ゆったりと憩いながら、地平に横たわる山脈なり、憩う者に影を投げかけてくる木の枝なりを、目で追うこと——これが、その山脈なり枝なりのアウラ

を、呼吸することにほかならない。（一四四ページ）

自然のなかで憩う者に訪れる一回限りの瞬間、われわれははるかなアウラを呼吸する。このようなアウラはかつての芸術を包んでいた。

ベンヤミンもダゲレオタイプ（銀板写真）の発明から写真史の素描を始めるが、一枚しか撮れない上、鏡の上に固着した記憶のように暗闇のなかに精密な像が浮かんでくるダゲレオタイプには固有のアウラがあった。ダゲレオタイプは肖像が中心であり、ダゲレオタイプが好評だった理由は、親しい人間の肖像としては好ましい、このアウラにあった。ダゲレオタイプは完全には複製技術とはいえなかった。ほとんど同時期に発明されたタルボットの方式は、すでにネガ／ポジ方式だったから、そこから近代の写真は発達した。それとともにアウラは失われたが、奇妙なことに絵画を真似てアウラを捏造する芸術的な写真をつくる技巧が生まれ、それを使う写真家たちが増えていた。

アジェの写真

写真が本当の能力を発揮するのはウージェーヌ・アジェ(一八五四—一九二七)という写真家を待たねばならなかった。アジェはいろいろな職業を経て、すべて失敗した後で、前世紀の終わり頃に、画家の資料として写真を撮りはじめた。生きているあいだは、彼は広く知られることはなかった。

二〇世紀に入って、写真の本性を探るいろいろな試みはなされるようになったが、アジェほど完全に感情移入を排除してまったく人気《ひとけ》のないパリの風景をとり続けた写真家はいなかった。彼は写真を画家に資料として売り、美術館、図書館などは、古い都市の記録として買い取った。彼には芸術としての写真を撮影しているつもりはなかった。ベンヤミンがアジェの仕事を知ったのは、アジェの死後、興味を抱いた人びと(アメリカの写真家ベレニス・アボットほか)によって、死後ほどなく出版されたばかりの本を通じてであった。ベンヤミンの反応は迅速かつ的確であった。『写真小史』のなかでアジェの写真によって、アウラが消失するさまを巧みに描いている。

凋落期の因習的な肖像写真が放っていた息苦しい雰囲気を清めた一番手がアジェであった。彼はこの雰囲気を清掃する、いや一掃する。対象をアウラから解放したことは、最近の写真家流派による、もっとも疑う余地のない功績だが、その口火を切ったのはアジェである。……沈んでゆく船から水を掻《か》い出すように、こうした写真は現実からアウラを掻い出すのである。(『写真小史』)

ウージェーヌ・アジェ「ボンヌ＝ヌーベル街」1907年

ウージェーヌ・アジェ「サン＝ドニ門周辺」1912年

知覚の役割

アジェの写真によって、人びとは世界からアウラが消える経験をした。人びとはいかなる余計な感情もとり払った都市の光景を見せられたのである。つまりアウラとは、なんらかの媒体によって形成される人間の知覚による世界認識にともなうものだったのであり、人びとは意識せずにそれに捉えられていた。しかし反対に「沈んでゆく船から水を掻い出すように、こうした写真は現実からアウラを掻い出す」というときにも、ひとつの知覚が働いているのである。ベンヤミン自身が、同じく『写真小史』で「写真は現実からアウラを掻い出す」ことを言い換え、「対象をその被いから取り出すこと、アウラを崩壊させることは、ある種の知覚の特徴である」と述べている。

特別に重要視されてこなかったが、ベンヤミンにとって、集団で生きる人間の「知覚」は重要な概念であった。彼は、知覚は、歴史のそれぞれの段階によって組織化されるものだと考えていた。知覚の変容と社会の歴史的変動は切り離されない。ベンヤミンによると、われわれの時代の知覚は「環境と人間の疎遠化」を捉えるタイプのものである。環境を非人間化する知覚なのである。アジェの写真に備わった知覚がその実例であった。後でわれわれはこの「知覚」の問題からさらに展開するベンヤミンの思想をみることになろう。

『写真小史』は、一九三一年という時代に書かれた写真論としては驚くべき洞察の水準に達している。写真は芸術であるかないかという愚かな問題意識で書かれているのではない。『写真小史』は、当時としては資料にもほとんど遺漏がなく、今日、写真論がいうべきことがほとんど出尽くしている。ベンヤミンはその当時の写真についての意外なほどの豊富な知識をもとにして、さまざまな現象に、彼独自の的確な判断をくだしつつ、写真が世界にもたらしたいくつもの段階での影響を分析している。どうしてこれほどの知識と洞察力を持ちえたのか、と不思議に思えるほどである。写真家でもあり、写真の社会学に先駆的な役割を果たした若きジゼル・フロイントがパリで勉学中にベンヤミンの知己を得るのは一九三二年以後であるから、彼女から知識を仕入れたことはありえない。それは彼自身が、写真に抱いた関心の深さから自ずと生じたことであった。

アウラなき世界

われわれは彼の『写真小史』を、たんに写真論として読んでいるのではない。『写真小史』は、いかに写真がダイナミックに社会を変えたか、また同時に、せっかく写真が獲得したあたらしい知覚を、芸術の名のもとに焦点をぼかし、プリントに技巧を凝らして、歪めてしまうことがありえたか、その複雑な反応を明晰に仕わけつつ、そこから壮大な社会の見取り図を語ったものであった。彼は写真とともに生まれた世界にたいする知覚のあらたな機能がなんであったかを問題にしていたのである。

アウラなき世界を捉える、非個人的な知覚の探究が、彼には根源的な課題であった。そのなかで人びとが生きはじめていた。このなかでもし芸術作品が生まれうるとすれば、「偉大な作品は、もはや個人が生み出すものとは見なされない。それは集団によって作られるものとなった」と考えざるをえないだろう。「集団によって作られる」とは、字義通り共同で制作することを意味するのではなく、集団的な人間の知覚をもとに生まれてくるということであった。アウラを崩壊させる知覚をもった写真の登場は、これまでの芸術にとっての危機であった。

『複製技術時代の芸術作品』では、次のように書いている。

最初の真に革命的な複製手段である写真の出現とともに(同時に、社会主義の登場とともに)、芸術が危機の接近を感知したとき――この危機はさらに一〇〇年後には、誰の目にもはっきり映るようになる――芸術は、芸術のための芸術《ラール・プール・ラール》という教義を編み出すことで反応したのだが、この教義たるや、芸術の一種の神学にほかならない。(二四六―七ページ)

「芸術のための芸術」は芸術の危機の克服には役立たなかったのである。さらにベンヤミンはアジェのもたらしたアウラなき世界には、次のように政治的な意味があると語っている。

かれ〔アジェ〕は、一九〇〇年前後のパリの街路を、人影ぬきで定着してみせた。かれは犯行現場を撮影するように街路を撮影した、といわれているのは、じつに当を得ている。犯行現場にも人影はなく、その撮影は間接証拠を作るためになされる。アジェーに至って写真は、歴史過程の証拠物件となりはじめている。ここにその写真の、隠れた政治的意義がある。（一五三ページ）

時代の顔——あらたな観相術

このように写真に政治的意義があるとすれば、もうひとり、アウグスト・ザンダー（一八七六—一九六四）の重要な写真の仕事を見逃すことはできない。いまではザンダーの計画した『時代の顔』のあらましはよく知られているが、彼は二〇世紀のあらゆる階層、あらゆるタイプの人間をカメラによって、裸形のままに出現させたのである。実際にそれは写真のもつ能力を見事に発揮した仕事であった。

ザンダーについてベンヤミンはこんな書き方をしている。ロシア映画が無名の人びとをカメラの前に立たせるや否や、「人間の顔が、あたらしい、測り知れないほどの意味を帯びて、画面の上に立ち現れた。だがそれはもはや肖像ではなかった。それは何だったのか。この問いに答えたことが、あるドイツ人写真家の顕著な功績である」

(『写真小史』)。ザンダーの写真にあらわれたのは、肖像でなく「顔」だった。

実際のザンダーの方法はこうだった。彼は二〇世紀の人びとを、あるがままに撮ろうとした。彼の撮影は計画的であった。あらゆる階層の人間を綿密なファイルに分類することから始めた。そこには官吏もいれば、労働者もいる、金持ちもいれば、貧乏人もいた。芸術家も浮浪者もいた。彼は自分の直接的な観察によってこの分類をまとめあげたのであり、社会学者や人類学者の助けを借りたのではない。言い換えるなら「現実からアウラを掻い出す」ように存在する写真がそれらの人間たちを存在させた

アウグスト・ザンダー「ボクサー，ヒン・ヘーゼとパウル・レーデルシュタイン」1928年

アウグスト・ザンダー「盲学校の子どもたち」1930年

のである。

ベンヤミンの言葉をかりると、これらの写真は「生活状況全体の文書化」を可能にしている。「生活状況全体の文書化」とは、表層を剝ぎとった歴史の根源にある人間を見えるようにすることであった。ある意味で情報化ともいいえた。こうしてザンダーの写真は社会と人間の態様を示す巨大な試みになった。膨大な書物になるはずであったが、ベンヤミンが『写真小史』を書きつつあったとき、まだ六〇枚の写真からなる一冊しか出ていなかった。ベンヤミンが憂慮したような経済的な理由からではなく、ナチの登場によって、それきりになったのである。ザンダーについて論じた最後を次のように締めくくっているのは印象的である。

ザンダーの作品のような仕事には、一夜にしてそれまで予想もしなかったようなアクチュアリティが生じてくることがあるのだ。わが国では権力移動の時期がすでに到来しており、こうした権力移動の際には、観相学の訓練を積んでいること、その能力に磨きをかけることが、生きるためにぜひとも必要となるのがつねなのだから。右から来ようが左から来ようが、どこから来たかによって他人から評価されることに慣れなければならないであろう。そして自分のほうも、同じことを他人から見てとらなければならなくなるであろう。ザンダーの作品はたんなる写真集以上のものである。これは演習用の地図帳なのである。(『写真小史』)

ファシズムが台頭するこの時期に、歴史における一人一人の人間の、むきだしになった顔を察知することが政治的にも重要だったのである。

写真の政治的機能

彼はアウグスト・ザンダーの社会性と、アルベルト・レンガー゠パッチュの審美主義を対比的な位置におく。ベンヤミンはレンガー゠パッチュは「写真に創造的なものを求めることは、写真を流行に委ねることである。『世界は美しい』――これがその標語にほかならない」と批判する。ベンヤミンはいわゆる新即物主義といわれた文学も写真も認めていなかった。まったく同じ主題を『写真小史』よりも深めて『生産者としての作家』のなかでも論じている。ベンヤミンはダダやジョン・ハートフィールドについて触れたあとで、このレンガー＝パッチュの写真が「流行に身を委ね」ていることの意味を説明している。

写真の歩みをさらにたどってほしい。そこで諸君は何をみるか？ そう、写真はますますニュアンスをまし、ますますモダーンになる。その結果、それを美化することなしには、もはやどんなドヤ街も、どんなゴミ溜めも写真化しえない。ましてや、ダムやケーブル工場ともなれば、「世界は美しい」ということ以外に何かを表現することなどできるわけがない。『世界は美しい』――それはレンガー＝パッチュの有名な写真集のタイトルだが、そこに頂点に達した新即物主義の写真をみることができる。つまり、対象を完成した流行の様式でとらえることによって、貧困をも享楽の対象にしてしまうことに成功したのである。というのも、以前には大衆の消費から遠ざけられていた内容――春とか有名人とか諸外国とか――を、当世風に加工して大衆に供給することが写真の経済的機能であるとすれば、現在あるがままの世界を内側から——ことばをかえていえば、当世風に——修正するのが、写真の政治的機能のひとつなのである。(『生産者としての作家』)

ベンヤミンはアジェやザンダーの写真の効果を「連想を停止させるショックをあたえること」と定義している。常識的な現実が意味を被せられているのと異なり、彼らの写真は、意味(文化)の覆いを剝ぎとられた状態にある。アジェの都市はそれらしき意味を帯びないし、ザンダーの人間も同様である。それはレンガー＝パッチュのように当世風の美意識で作られているのではない。この裸形の顔や街に、説明のための言葉をつけ、歴史の根源に向かわせうると述べている。新即物主義への批判をかねて、次のようにイメージと言葉の革命的な関係を説明し

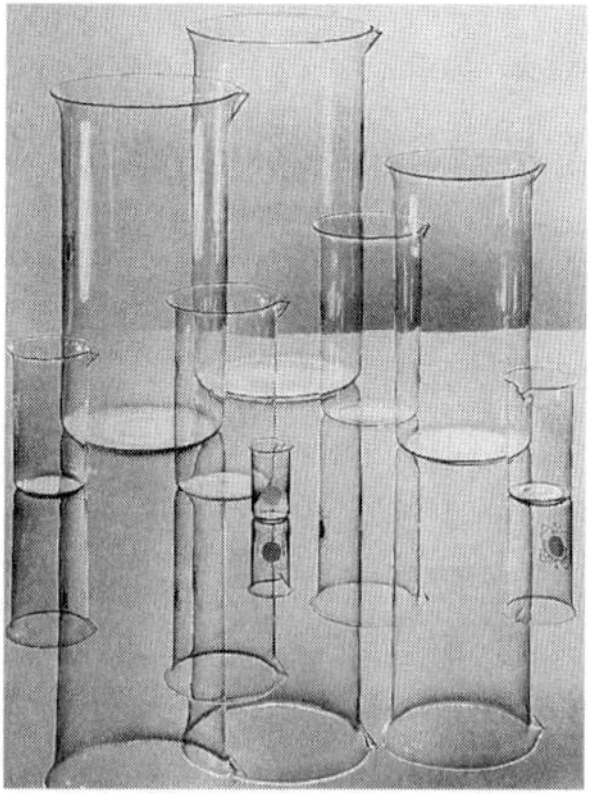

アルベルト・レンガー＝パッチュ「イエナ・グラス」1934年

ている。

われわれが写真家に要求すべきことは、写真を当世風の変質からひきはがし、写真に革命的な使用価値をあたえる画像の説明〔となる言葉〕を付与する能力である。

(『生産者としての作家』)

彼は写真の情報化の意味を明らかにしたのであった。

5　知覚と歴史

リーグルの「芸術意欲」と「知覚論」

すでに触れたように『写真小史』は、知覚とは集団で生きている人間の歴史的な経験と切り離せないと、歴史認識と「知覚論」がむすびつく道を開いていた。ベンヤミンの理論のなかで知覚の占める役割は大きい。「アウラ」の崩壊はわれわれの時代の知覚の特徴である。写真を手にした人類の知覚は、「アウラ」なき世界を組織し、知覚はその世界によってまた組織されるのである。しかしベンヤミンが、知覚がなんらかの媒体によって組織されている仕方を知ったのは、たんに写真の発明以後の歴史の経験からだけではなかった。美術史の研究から知ったのである。

ベンヤミンは、十九世紀の終わりから二〇世紀のはじめにかけて、アロイス・リーグルをはじめとするウィーンの美術史家たちが、美術史の基礎的な概念を変革し、美術の発展を解きあかすうえで、目ざましい仕事をしていたのをよく知っていた。ベンヤミンが、とくにリーグルの業績とその限界に興味を抱いたのはかなり早い時期であったと思われる。おそらく初期のベンヤミンにとって重要だったのは、リーグルの「芸術意欲(Kunstwollen)」という概念であり、必ずしも知覚論ではなかったように思われる。「芸術意欲」は、『ドイツ哀悼劇の根源』にも影響をあたえている。その場合、リーグルの「芸術意欲」なる概念は、芸術が凋落する時期に、芸術を立ち上げるべく活動する力として凋落に対置され、バロック芸術の要に位置させられる。たとえばベンヤミンは次のように述べている。

……表現主義と同様バロックも、本来の意味での芸術的習熟の時代ではなく、むしろ一心不乱な芸術的意欲の時代なのであるから、いわゆる凋落の時代においては、事情はいつでも同じである。芸術の最高の現実は、孤立した、完結した作品である。時にはしかし、完成した作品は、亜流によってしか達成されないことがある。こういう時代が芸術の「凋落」の時代であり、芸術の「意欲」の時代である。リーグルが、この術語を編み出したのが、ローマ帝国の最後の芸術についてであったのも、このためである。意欲によって達成できるのは形式だけであって、完成された一つの作品ではない。(『ドイツ哀悼劇の根源』)

リーグルの「芸術意欲」の概念は、芸術作品一般の形成にとって、その原動力として仮定された、いわば哲学的な基礎概念であった。ベンヤミンも『複製技術時代の芸術作品』になると、「芸術意欲」の概念以上に、リーグルが提示したもうひとつの概念である「知覚論」を壮大な規模で展開するようになる。そしてリーグルにヒントをえながら、その限界も認識している。Ⅳ節の冒頭の、次の文章で、ベンヤミンが歴史と知覚の関係に興味をもつ理由がはっきりしてくる。

歴史の広大な時空間のなかでは、人間の集団の存在様式が総体的に変化するにつれて、人間の知覚の在りかたも変わる。人間の知覚が組織されている在りかた——知覚を生じさせるメディア——は、自然の諸条件に制約されているだけでなく、歴史の諸条件にも制約されている。ローマ時代後期の工芸や、いまヴィーンにある密画を成立させた、あの民族大移動の時代は、たんに古典古代とは別の芸術をもっていただけではなくて、別の知覚をももっていた。このローマ時代後期の芸術が古典古代の伝統の重みのもとに埋没してしまっていたとき、その伝統の重みに抗したヴィーン学派の学者たち、リーグルやヴィックホフは、初めて、この芸術が意義をもった時代の知覚がどう組織されていたかを、この芸術から推理する、という考えに想到している。かれらの認識の射程はじつに大きかったが、それにも限界はあった。（一四三ページ）

ウィーンの美術史家たち

ベンヤミンは、ウィーンの美術史家たちに、自分の思想を発展させる上で意外に大きなきっかけになる概念を見いだしていた。アロイス・リーグルは、彼より一時代前の美術史家であり、有名な建築家でもあったゴットフリート・ゼンパーの、唯物論的、技術的、実証主義的美術史の方法に反対して、すでに十九世紀の末に『美術様式論』(Stilfragen, 1893)を書き、二〇世紀のはじめに『後期ローマの美術工芸』(Spätrömische Kunstindutrie, 1901, 1923)を書いた、世紀の変わり目の大美術史家であった。彼のもっとも重要な業績は、いわば次々と様式を形成していく目的をもった精神的な原理として、「芸術意欲(Kunstwollen)」と名付けた基礎的な概念を提案したことであった。美術史に一種の哲学的な展望をあたえたのである。ベンヤミンは、この「芸術意欲」の概念に、ひとつの時代がみずからを表現する集合的な意図を見いだしていたのである。

ベンヤミンの文中にある「ヴィーンにある密画」とは、F・ヴィックホフが、ウィーンの国立図書館にあったギリシャ語写本『ウィーン創世記』と呼ばれる初期ビザンティン(つまり六世紀)のミニアチュールの出版を始めたことを指している。ベンヤミンはヴィックホフ以後も継続的に出版されてきた『ウィーン創世記』などのミニアチュールを見ていたか、どうかはわからない。美術史家としてはヴィックホフの方がリーグルより先輩格であった。リーグルは『ローマ後期の美術工芸』のなかで、ヴィックホフの業績について述べている。彼らは後期ローマ(初期ビザンティン)の美術が、古典古代の様式的基準から見ると高い評価を与えられないとしても、それらは古典古代の美術とは別の類の芸術であることを見いだしていたのである。

『ウィーン創世記』の手写本のミニアチュールでは、古典古代のように、奥行きの

「アブラハムの物語」『ウィーン創世記』

ある空間のなかに人物をおくのではなく、ただ人物や必要な小道具だけが物語に沿って連続的に配置されていた。これが古典古代の絵画とまったく別の空間知覚にもとづく芸術であることに彼らは気づいたのである。彼らにその発見が可能であったのは、その時代が古典古代とは別の知覚をもっていたことを理解するだけの、美術の歴史の作用因である基礎概念を創出していたからである。

知覚の二つの極

ベンヤミンはこれらウィーンの学者たちの基礎概念からヒントをえ、彼らが気づかなかった、あるいは彼らが考えようともしなかった方向に、思想を発展させたのであった。たしかに古典古代の美術とはまったく異なるものであったから、後期ローマの芸術はルネサンス以後、古典主義の規範が支配する世の中では、高い評価をあたえられることなく、埋もれてしまっていたのである。リーグルたちはその意義を発見するだけの見識があった。ベンヤミンが興味をもった最大の理由は、彼らが知覚に目をつけたからである。しかしベンヤミンから見ると、彼らは形式発見の域をこえられなかった。

リーグルは『ローマ後期の美術工芸』の序論で、芸術が形成される(あるいは「芸術意欲」が実現するための)基礎に、触覚的(taktish)―視覚的(optish)という知覚の両極があったことを示した。視覚には遠くへのまなざし、深さ、あるいは表面の膨らみが結びつき、触覚には近くをみること、表面、あるいは平面の存在が結びついていた。この視覚的、触覚的という両極は芸術が形成される、形式的な意味での根本問題を提起していた。ベンヤミンは、彼らがそれ以上には理論を展開させていないのに気づいていた。視覚的と触覚的という知覚を問うことの重要さを的確に受けとめながら、『複製技術時代の芸術作品』では、先の引用に続いて次のような批判を述べている。

この学者たちは、ローマ時代後期の知覚に特有だった形式的な特色を、指摘するだけで満足してしまったのだ。この知覚の変化のなかに表出されていた社会変動を、彼らは明示しようとは試みなかった——というか、おそらく、もともとそんなことは思いのほかだった。現在では、しかるべき洞察への諸条件は、ずっと整ってきている。知覚のメディアの変化に現に立ち会っているぼくらは、この変化がアウラの凋落として把握されるとき、この凋落の社会的な諸条件を示すことができる。（一四三—四ページ。傍点——引用者）

ベンヤミンは社会変動を捉えなかったリーグルたちを批判するが、ある時代が固有の知覚をもつことについて、リーグルたちから学んだものがあるのは疑えない。われわれの時代が脱アウラ的知覚をもつことは、アジェの写真、ザンダーの写真の理解に由来する。彼らの写真からアウラを崩壊させる知覚を知ることができたのである。ベンヤミンが世界にたいしてもつスタンスは、知覚の問題抜きではありえないのだ。知覚とは、歴史的なものである。それがベンヤミンのリーグル批判のポイントであったが、この知覚の問題は『複製技術時代の芸術作品』のなかで、もっともダイナミックな作用をすることになる。

それはさまざまな議論が終わりに近づいたところで「触覚的ならびに視覚的」という言葉とともに、もう一度戻ってくる。今度はまさに彼自身の(つまりわれわれの)時代の問題としてであった。それに触れるのはもう少し進んでからにしよう。

6　芸術と政治

アドルノとの食い違い

ベンヤミンは彼の生きている世界に強い危機感を抱いていた。ひとつの切迫した事態がファシズムであったが、そればかりではなかった。資本主義の拡大は、人類を内部から崩壊させるような要素を含んでいた。彼は、そのような社会的変動のコンテクストのなかで芸術を判断していた。アウラという言葉は、芸術の変質を測る目安であった。「アウラ」についてのベンヤミン自身の説明は曖昧で理解しにくいが、彼はさまざまな言い方で真意を伝えようと努力している。アウラは、彼にとっては人類の歴史を考える上で、ある役割をもつほどの重要性をもっていた。アウラの被覆を割って世界を救いだす――それがこの論考の最初のモティヴェーションだったから、彼はある程度の単純化を恐れなかった。草稿を読んだアドルノが、一九三六年三月十八日付けの手紙で、ベンヤミンの労作を称賛しつつ、いくつかの点で批判をくわえている、そのひとつに次のような箇所がある。

こんどの労作において私に懸念されるのは、あなたが魔術的アウラの概念を「自律的な芸術作品」へも無造作に転用して、これを反革命的な機能をもつものらの側へ、あきらかに押しやっていることです。(アドルノからベンヤミンへ、ロンドン、一九三六年三月一八日)

この論考でベンヤミンはあくまで芸術作品を、社会的変動の現在のなかで考え抜こうとしていた。だから制作(生産)を考慮する場合にも、その形式ではなく(『生産者としての作家』で引き出した)技術という概念を用いたのである。アウラが消滅しかかっていることは、アドルノも認めていたし、芸術作品の自律的形式は、ベンヤミンのいう技術に近いと思っていた。

私は、芸術作品の自律性を保護区として確保したいわけではありませんし、あなたと同じく、芸術作品におけるアウラ的なものは消滅しかかっている、と思ってもいます。ただし、アウラ的なものが消滅するのは、技術的に複製が可能になることによってだけではありません。ついでにいえば、何よりも、芸術自体の「自律的」な形式法則がみたされることによってです。（アドルノからベンヤミンへ、ロンドン、一九三六年三月一八日）

これは『複製技術時代の芸術作品』において「アウラ」という言葉を用いたベンヤミンの理念的な試みとは食い違っていた。ベンヤミンは、アウラの消滅とは、複製技術によって社会全体で生じた伝統的な社会の危機であったが、アドルノはアウラの喪失を、芸術自体の自律的な形式が探究されること、たとえば音楽の形式における脱魔術化にその例を見るという食い違いがあった。ベンヤミンも「アウラ」と「複製技術」だけを用具として、歴史のなかの芸術の運命が語れるとは思っていなかった。しかしそれらの概念には、現在の社会を探究するうえでの可能性を試してみるだけの価値があると考えていた。この論考が、ある意味では彼が芸術にたいして抱いてきたさまざまな感情や、富裕なベルリンのユダヤ人美術商の家庭に生まれ、彼を育んできたブルジョワジーの文化に逆らっても、大衆の日常に入り込んで知覚をかえていく媒体としての「芸術」を歴史哲学的に考えることに徹していた。

礼拝的価値と展示的価値

『複製技術時代の芸術作品』を読むかぎりでは、ベンヤミンの思想にはつねに共同体あるいは集団が存在し、個人にだけ依拠した活動を問題にしたのではなかった。したがって彼にとっては芸術の歴史も、その生産だけから考えるよりは、それとは分離できないものとしての受容からも考えるべきものであった。彼がリーグルから「芸術意欲」の概念を借りて発展させえたのも、もともとリーグル自身の「芸術意欲」の概念が、生産と受容を分離しないで、ある時代に芸術を発生させ、発展させていく集団的な原動力をさしていたからであった。しかしこの共同体が、いまや危機にさらされているのである。これまで人類が共同体を維持していく核心をなしてきたものを「伝統」と呼ぶなら、伝統の根源から伝えられている従来の芸術作品の「真正さ」が揺らいでいるからである。

芸術作品が唯一無二のものであることは、それが伝統の関連のなかに埋めこまれていることにほかならない。(一四五ページ)

かつて芸術の生産は、ベンヤミンのいうように「魔術に用立てられる形象の制作からはじまった」のである。芸術作品を「伝統の関連のなかへ埋めこむ」根源的な仕方は礼拝という表現をとった。最古の芸術作品は、儀式——最初は魔術的な儀式、ついで宗教的な儀式——に用いるための道具として成立したとベンヤミンは考えるから、それが「芸術」の機能をもつものとして認められるのは、ずっとあとになってからのことになる。礼拝的価値は決して固定したものではない。ヴィーナスの像は、古代ギリシャ人には礼拝される対象であったが、中世のカトリックの聖職者には不吉な像と見なされた。つまり伝統は共同体が異なるにしたがって変わりうるものなのだ。

しかしどちらの場合でも、それが唯一無二のものであったこと、つまりアウラをもっていることには変わりなかった。そのときは芸術は存在していることが重要で、秘匿されていてもよく、見られる必要はなかった。世俗化した後でも礼拝は続き、「美の礼拝」というかたちをとるが、そうなると見せること、作品自体を展示する必要性が大きくなるのはいうまでもない。彼がいうように、タブロー画はモザイクやフレスコ画より展示可能性をもっていたし、交響曲はミサ曲よりも礼拝的価値を消す可能性をもっていた。このようにしてベンヤミンは、芸術の歴史を礼拝的価値と展示的価値という対極的な価値の関係から分析できると考えた。芸術の歴史はこれらの極の一方から他方への、またその逆へと、重点が移動する過程と見なすことはできないか？

伝統と大衆

複製技術が多様に発展していくにつれて、展示的価値が増大していくから、重心の移動がたんに量的ではなく質的な変化をもたらすようになる。礼拝的価値が圧倒的であった原始時代には魔術的機能に重点がおかれたのと対照的に、展示的価値が圧倒的になった今日の芸術では芸術的機能が際立ってくる。芸術的機能とは、美的機能であるか、概念的機能であるか、どちらかである。

だがベンヤミンは謎めいた不思議な言い方をするのだ。「もっと時間がたてば、その機能は副次的なものだったことが、認識されることになるかもしれない」と。これは何を意味しているのか？　現在の芸術的機能と思われていたものが、まだ見いだされていない彼方の予兆であるかもしれないのである。

かつての共同体が伝統に支えられていたとすると、その共同体はもはや維持されえないのである。それに代わって大衆が登場する。今日の大衆には、かつての伝統の豊かさはない。複製技術は、複製されたものを伝統から切り離してしまうし、複製によるアウラの喪失は、共同体の核心をなしてきた伝統が激しく揺さぶられていることを意味しているわけである。

> 伝統の震撼というこの事態は、人類の現在の危機と、新生と、表裏をなす事態であって、この二つの過程は、こんにちの大衆運動ときわめて密接に関連している。
> （一四二ページ）

アウラの喪失と大衆の登場は、次のような知覚の変化によって生じる。

アウラを崩壊させることは、「世界における平等への感覚」を大いに発達させた現代の知覚の特徴であって、この知覚は複製を手段として、一回限りのものからも平等のものを奪い取るのだ。（一四五ページ）

いまやアウラの根づく伝統を失った社会に、人類の文明を越えていく能動的な動因をあたえねばならないのだ。

生きのびるための技術

ベンヤミンは『経験と貧困』のなかで次のように書いていた。

〈揺るぎない精神〉など、こんにちでは少数の権力者だけの問題である。かれらが大衆よりも人間的であるなどというのは、とんだお笑いぐさだ。多くのばあい、かれらこそ、はるかに野蛮――ただし、わるい意味で野蛮なのである。大衆のほうは、手ににぎりしめたわずかな材料で、はじめから態勢をととのえねばならない。かれらの味方は、根本的にあたらしい問題を自分たちの問題として、それをふかい洞察と断念のうえに基礎づけたひとびとだけである。人類は、やむをえぬばあいには、文明をも乗りこえて生きのびなければならない。人類は、これらのひとびとの建築や絵画や小説のなかで、そのときにそなえているのである。ここで肝心なことは、人類がこの準備作業を笑いながらおこなっている、ということである。この笑いは、ときには野蛮にひびくかもしれない。それでいいのだ。

(『経験と貧困』)

つまり、芸術はきたるべき時代を用意する。

それにしても「笑い」とは何を意味するのか？　芸術の遊戯性に他ならない。ベンヤミンは、今日、人間は「初めて、そして無意識に智慧を働かせて、自然から距離をとりはじめた」という。その「根源は遊戯にある」としている。ベンヤミンは、かつての技術と今日の技術を比較し、第一の〔太古の〕技術が人間を犠牲に供するにたいして、第二の技術は人間なしで遠隔操作の飛行機をとばすようなものであるとした上で、次のように述べている。

第一の技術は、自然を制御することをめざしていた。しかし第二の技術はむしろ、自然と人間との共同の遊戯をめざすものであって、こんにちの芸術の決定的な社会的機能は、まさにこの共同の遊戯を練習することなのだ。（一五一―二ページ）

技術にとっては、自然は外部にある。第一の技術では自然を征服する。第二の技術は人間と自然の距離をとる。この距離のなかで、人間と自然のあたらしい関係を考えることが第二の技術の目標になる。

「政治」を根拠とする芸術

ベンヤミンは複製技術を回避できるなどとは思わなかった。彼は最初は複製に否定的で、やがてそれに積極的にかかわったというのでなく、最初に感じていた違和感の正体をあきらかにしながら、「複製」を決定的なきっかけにして、人類の歴史の危機について語ろうとしたのである。脱魔術化としての伝統の崩壊には触れたが、「最初の真に革命的な複製手段である写真の出現とともに(同時に社会主義の登場とともに)、芸術が危機の接近を感知したとき」、芸術作品は決定的に、政治的な変動を予測していたのである。

芸術作品の技術的な複製が可能になったことが、世界史上で初めて芸術作品を、儀式への寄生から解放することになる、……芸術生産における真正性の尺度がこうして無力になれば、その瞬間に、芸術の社会的機能は総体的に変革される。儀式を根拠とする代わりに、芸術は別の実践を、つまり政治を、根拠とするようになる。(二四七ページ)

すでに述べた写真におけるアウグスト・ザンダーとレンガー＝パッチュの比較を思

い出して頂きたい。この二人の写真家の写真は、その手法によって、まったくちがった政治を根拠としていた。芸術的機能は、今や、社会を構成する政治の上に生まれる。

これまで眺めてきたように『複製技術時代の芸術作品』が、現代社会からアウラが消滅することが避けがたいとすれば、アウラを捏造するか、否かはあきらかにどのような政治を根拠にするかによるといってよい。アジェの写真を媒介にしてアウラなき世界が出現している。そのクールで緊迫したまなざしは、人間の世界を覆っている文化と称する、二次的な意味を静かに引き裂いているのだ。

繰り返すことになるが、ベンヤミンは、脱アウラ化した写真がショックをあたえる、まさにその瞬間に、その写真に言葉をあたえて世界を根源に向けての文書に変えると語っていた。われわれはそのとき歴史の転換点に遭遇しているのである。『複製技術時代の芸術作品』は、芸術作品にたいする知覚によって、危険にみちた歴史の転換点を語ろうとする論考だった。

7

映画の知覚

複製の違い

ベンヤミンの映画論は、映画をまるで人間を理解するための装置に見立てているようにみえる。彼が「複製技術時代」と呼んだ時代、あるいはそのなかで生きているわれわれとはいかなるものか、をあきらかにするためなのである。つまり彼の映画制作の精密な分析は、われわれの住み着く現代世界の活動を解明する分析の比喩として読まれるべきだし、同時に完成した映画は、われわれつまり大衆を魅了する「現実」の比喩になる。さらにいえば映画が「現実」を見る視覚になっているのである。

写真や社会について論じてきた『複製技術時代の芸術作品』の後半は、映画論がもっとも重要な議論になる。ベンヤミンの時代では、映画がもっともあたらしい芸術であった。ベンヤミンの議論のなかでの、写真から映画への発展の過程はたどれる。彼は映画を、写真が言葉によって意味を確定する延長におく。映画はどの場面も、前後の関係から意味が曖昧になることはない。しかし写真と映画とはまったく異次元のものである。静止と運動の差異ではない。どこがちがうか？

写真が絵画を複製する場合と、映画が仕組まれた事象をスタジオで複製する場合とでは、複製のしかたが異なっている。前者の場合には複製される対象が芸術作品であって、複製が作品を生産するわけではない。……スタジオのなかでの撮影では、事情は違ってくる。この場合には、複製される対象が芸術作品だ、ということはもはやない。……複製すること自体が作品を生産するのでもない。この場合には芸術作品は、〔選択し、連結する〕モンタージュに依拠して初めて成立する。（一五九ページ）

だから映画は、最終段階でどうにでもなるものなのだ。選択し、つなぎあわせる――だから編集の意義は途方もなく大きい。

すでにアジェやザンダーの写真がわれわれにあたえる世界について、ベンヤミンの考え方は書いてきた。依然として神話につきまとわれがちな現実と比較すると、彼らの写真の方が非現実だったのかもしれない。だから彼らの非現実的な写真にシュルレアリストたちが共鳴したのであろうが、それにしてもそこにはパリという都市があったり（アジェ）、二〇世紀の有名無名の人間たちがいた（ザンダー）。しかし映画は、何か世界というべき対象があって、それを複写する過程を踏むものではない。カメラもセットも、演技する俳優も含めて、すべてが複製技術の領域に属している。限りなく現実に近いものとして観客が受容するイリュージョンをつくりだすための制作に使うすべての要素は、最終的にあらわれる「映画」とは異なる次元のものなのだ。XIV節はこの問題を簡略化しながら巧みに扱っている。

ベンヤミンによれば、複製技術が進歩して写真が現れたとき、多くの人びとは「写真が芸術であるか否か」という間違った問題に振り回された。「写真の発明によって芸術の性格が総体的に変化したのではないか」ということに最初は行きつかなかった。写真とは比較にならないほど錯綜した映画の場合も、初期の映画理論はお話にならないほど大雑把であった。超自然的あるいは幻想的なものによって、映画は芸術になると語ったりしたものだった。それら理論家たちについてベンヤミンは皮肉っぽくこう書いている。

この種の理論家たちが映画を「芸術」に組み入れようと四苦八苦して、余儀なく、たとえようもなく羽目をはずして、礼拝的要素を映画のなかに読みこもうとしているさまを眺めることは、大いに参考になる。（一五七―八ページ）

つまり初期の写真論も映画論も、従来の芸術を理解するための概念装置が「写真」にも「映画」にも役に立たないことを反面教師として教えてくれた。

人間と機械装置の釣り合い

映画を撮影する現場では、撮影機械、照明器具その他の機械類、スタッフその他の劇の進行自体には関係のないものが嫌でも眼に入る。まるで雑然と道具が混み合った空間なのだ。それは演劇の場合とまったく異なる。演劇では舞台の上が現出する幻影の空間そのものであるが、映画を撮影するスタジオにはそのような場所はない。演劇では、その日その日が勝負だ。舞台と観客は反応しあい、日によって芝居のできが違ってくる。映画制作にはそんなところはない。なんどでも撮りなおせるし、撮影の順番と物語の順序が違ってもよい。

スタジオでは機械装置が現実のなかへ深くはいりこんでいるので、現実を純粋に見る視点、機械という異物から解放された視点は、特別の位置に置かれたカメラによって撮影をおこない、さらに同種の撮影をほかにも多くおこなった上で、それらのフィルムをモンタージュするという、特殊な手続きの結果としてでなければ、生まれえない。機械から自由に現実を見る視点は、ここでは人工的なものに転化している。直接の現実の眺めは、技術の国の青い花となったのだ。(一七一ページ)

ベンヤミンは映画のもっとも重要な社会的機能は、「人間と機械装置とのあいだの釣り合いを生み出すことである」という。機械装置への深入りをとりあげ、ベンヤミンは「外科医《オペラトゥール》／呪術師」の差異と、「撮影技師《オペラトゥール》／画家」の差異が似ていることを論じながら、映画が現代人を理解する装置になっていること、つまりわれわれにとっていかに重要なものであるかの理解にわれわれを導いていく。

祈禱師と外科医との関係は、画家と撮影技師との関係にひとしい。画家は仕事をするとき、対象との自然な距離に注意を払う。これに反して撮影技師は、事象の織りなす構造の奥深くまで分け入ってゆく。両者が取りだしてくる映像は、いちじるしく異なっている。画家による映像が総体的だとすれば、撮影技師による映像はばらばらであって、その諸部分は新しい法則に従って寄せ集められ、ひとつの構成体となる。だからこそ映画による現実の描写は、現代人にとって、比類なく重要なのである。というのも、機構から解放された現実を見る視点を、現代人は芸術作品から要求してよいわけだが、その視点は、機構を利用した映画による徹底的な浸透に依拠しない限り、得られはしないのだから。（一七二ページ）

ここでの「機構(Apparatur)」という言葉は、集合的な組織体ではなく、機械装置である。つまり映画は、映画なる作品を大衆に展示するだけでなく、現実を見る大衆の知覚を構成しているというべきであろう。いったいそれはどんな知覚なのか？

無意識の知覚

彼は、肉眼に語りかける自然と、カメラに語りかける自然とが違うことを挙げ、われわれは日常、なにげなくおこなっている動作の、ごく細部を意識することは少ないが、カメラはいろいろな手段を使ってその不明の箇所を捕えうる。たとえばこんなことだ。人間は誰でも、歩行についていろいろ説明できる。しかしそれはきわめて大雑把で、足を踏み出す何分の一秒かの、瞬間の動作はなにも知らないのが普通である。だがカメラは捕える。「人間の意識によって浸透された空間に代わって、無意識に浸透された空間が現出」しているのである。われわれはその空間を知覚する。つまり機械装置を介した知覚が生まれるのだ。

精神分析によって無意識の衝動を知るように、ぼくらはカメラによって初めて、無意識の視覚を体験する。（一七七ページ）

このふたつの無意識、無意識の衝動と無意識の視覚のあいだは密接で、機械装置が変形や崩壊をひろいだすのにたいして、現実の世界では異常心理や夢などになって現れる。だから次のようにもいえるのだ。

カメラを利用する方法は、異常心理をもつひとや夢をみるひとの個人的知覚をも、集団的知覚が自分のものとしてゆくことを可能とする手続きに、ひとしい。（一七七ページ）

この箇所で彼がミッキー・マウスを集団的な夢の形象といったことが、アドルノには軽率な意見に思えた。

映画の精神療法的効果

しかしベンヤミンが問題にしているのは別の現象である。技術の進展した社会では、危険を孕むほどの異常心理が大衆のなかに生み出される。しかしその反面ではこれにたいする抵抗が生じる。映画がそれを行っているのだ。

〔異常心理を生み出すのと〕同一の技術的進展が、そのような大衆の異常心理に抗する心理的な予防接種の効果をもちうるものをも、ある種の映画というかたちで、すでに産出していることである。この種の映画において、サディストの幻想やマゾヒストの妄想をことさら強調して展開してみせることは、大衆のなかでそのような幻想や妄想が自然に危険なまでに成熟してゆくことを、防止することができるのだ。集団的な哄笑が、そのような大衆の異常心理を、予防的に爆発させて治癒することになる。映画において大量のグロテスクな情景が消費されている現状は、人類が文明の随伴する心理的抑圧におびやかされている危険な状況の、ドラスティックな一徴候にほかならない。ディズニーの映画やアメリカのグロテスク映画は、無意識のものを爆破するという精神療法的な効果をもっている。サーカスなどでの奇矯な道化芸は、いわばこういった映画の先行者だった。映画が成立させた新しい遊戯空間のなかにも、そういう道化芸がまず最初に住みついて、試験的な入居者の役割を果たしてきている。この意味でチャップリンは、歴史的な人物としての位置を占めている。（二七八―九ページ）

だが彼の本来の追究は大衆社会の異常心理学にあったのではなく、映画によって明らかにされる知覚に眼をむけることであった。その手始めに無意識の視覚があったわけだ。

映画の触覚的な質

ベンヤミンの定義する第二の技術では、根源に遊戯があった。知覚が現象しうるのはこの遊戯空間である。そのとき現れているのはほんとうに無意識の視覚であろうか？　彼が『複製技術時代の芸術作品』で主として写真と映画を扱ってきたので、べンヤミンは心理学者のルドルフ・アルンハイムなどと同じように視覚中心主義のように思われがちである。複製技術が発達したのは、主として視覚と聴覚にかかわる表現についてであった。ところが彼はダダイズムを論じて、視覚や聴覚ではなく、触覚に接近しているのだ。「映画の気散じ的な要素も同様に、まず第一に触覚的といえる要素なのだから」と次のように書いている。

ダダイズムにおいて芸術作品は、ひとの目を魅惑する外見や、ひとの耳を納得させる響きから脱け出して、一発の弾丸に転化した。それはひとを撃ち、こうして作品は、いわば触覚的な質を獲得した。このことは同時に映画への需要を育てることになった。というのも、映画の気散じ的な要素も同様に、まず第一に触覚的といえる要素なのだから。この要素は、つぎからつぎへと観衆に襲いかかってくる場面の転換・ショットの転換にもとづいている。映画は、ダダイズムがいわば道徳的な範囲になお包み込んでいた生理的ショック作用を、その包みのなかから解放したのだった。(一八一ページ)

映画はショックをあたえる。画面がつぎつぎと移り変わる映画では、絵画を見るような連想の流れを不可能にする。この連想の停止が映画のショック作用である。映画というものは、すべての人びとが社会で経験している知覚器官の変化に対応している。この遊戯空間では、すでに指摘したリーグルの知覚論の対立する二極、視覚と触覚のあいだの重心の移動があらわれている。

映画は、現代人の生活を旧に倍して包みこんでいる生命の危険に、対応した芸術形式なのだ。それは知覚器官の深刻な変化――この変化を、大都市の車の往来のなかを行くすべての通行人は、私的生活の尺度で体験しているし、今日の社会秩序に反対するすべての戦闘者は、世界史の尺度で体験している――に対応するものなのである。（二〇一―二ページ）

ベンヤミンが描いてみせる大都市の雑踏では、視覚的な遠近法は有効さをもたない。

われわれはどんな知覚で自分の身の安全を保っているのか？　それが「触覚」への知覚の変化の例である。これからたびたび使うことになる「触覚」という知覚は、注意を要する。それは手で触ることを意味していない。それは視覚のように瞬間的なものではなく、また視覚のように明晰でもありえない。われわれが考えるに値する「触覚」とは、何度も経験し、固定した決定的な像を認識しないのだ。平面とか三次元とかに表すことができない。「触覚」とは時間を含み、多次元であり、何よりも経験であり、かつ再現のできないものなのである。

8 ミメーシスと遊戯空間

映画論による冒険

ベンヤミンは映画のもっとも重要な社会的機能は、「人間と機械装置とのあいだの釣り合いを生み出すことである」と考える。たしかに機械による人間の疎外は、まるでステレオタイプのように、われわれの技術社会の欠陥として語られてきた。だが『複製技術時代の芸術作品』において、ベンヤミンは、映画という芸術を、最大限、積極的に捉えようとしていたのである。これまでの芸術が滅んでゆく、美しいものは失われ、人間性ももはや成り立たない——そんな嘆きは歴史についても、未来についても、なんの能産的な思考をもたらさない。明らかに否定的な面があり、矛盾があったところで、われわれはネガティヴなことばかり言ってないで、(当時、もっとも新しかった)映画のなかにどんな可能性が見つかるか、試してみるべきだ。

『複製技術時代の芸術作品』を書くとき、ベンヤミンは、映画について弁証法的冒険をしてみようと、決断していたのである。すべてについて非難もされない正しさなど、ありはしない。かりにいくつかの誤謬があったとしても、それにまさる真実が提示できればよい。実際、映画論にはかなりきわどいものを含んでいる。「人間と機械装置とのあいだの釣り合い」の様態を見つけるという課題に答えることは、そのような思考の上でなければ不可能である。映画がどのようにその課題に答えたのか？

映画俳優の演技

具体的なことから入ってみよう。映画と演劇は一見したところでは近くにみえるがこれほど離れたものはない。舞台の役者というものは幕が上がって幕が下りるまで、その役柄に成りきり、その人物の運命を演じなければならない。しかも観客の前である。観客と役者は共犯関係にある。毎日、役者の演技は変化する。そのひとつの原因はあきらかに観客の反応にある。その呼吸があえばうまくいく。それに役者は、いま、そこにいる――これは定義上、アウラの世界なのだ。

映画俳優は、舞台俳優とどこが違うのか？　映画俳優は公衆の前で演技するのではなく、「機構〔諸々の機械装置〕にたいして自己自身を演じてみせる」。演技は「専門家委員会――プロデューサー、監督、カメラマン、録音技師、照明技師などとして、いつでも俳優の営為に介入できる立場にある――の前でおこなわれてゆく」。ベンヤミンはそのことを実験的な試験にたとえている。この試験は現在の社会は、ベルト・コンヴェヤーによって規格化された場合、労働過程にもひろがり、その試験をうまくやり通さないと労働者として失格する。映画俳優は「機械の前で演技する」が、「監督の役わりは、適性試験における審査者のそれにひとしい」。撮影にさいして俳優は、断片的なスケデュール、撮影所の都合でどんなにでも変更されてしまうスケデュールで断片的な演技を強いられる。人物の行動の時間と撮影の時間との順序が逆になっているることもままある。このことは自体もわれわれの日常生活とよく似ている。秩序はなく、予定の変更はしょっちゅうだ。

観客の経験

映画俳優の機械相手の演技を、ベンヤミンは、人間が初めて、人格のアウラは断念して活動せざるをえない状態に立ち至った、と言い表す。アウラなき人格として演技するためには「俳優は機械装置の前で人間性を保持していなくてはならない」が、実際には、編集されて映画になった結果が人間性を保持していればよい。映画を見る観客は、この最後の人間像を経験する。

都市住民の圧倒的多数は労働日の続くあいだ、事務室や工場で、機械的な機構に面して、自己疎外におちいらざるをえないのだから。この大衆が晩になると映画館をみたして、映画俳優がかれの人間性を(あるいは大衆にそう思えるものを)機構〔機械装置〕に対抗して主張しているのみならず、自身の人間性の勝利のために機構〔機械装置〕を用立ててもいることをつうじて、かれらに代わって雪辱してくれているのを、体験するわけなのだ。(一六二ページ)

機械と人間の釣り合いは、あたらしい遊戯空間が受け止める。

この課題を映画は、人間が撮影用の機械装置に向けて自分を描出する、というしかたでだけでなく、その装置の助けを借りて人間が自分に向けて環境世界を描出する、というしかたでも、徹底的に解決してゆく。映画は、環境世界のさまざまなものをクローズ・アップしたり、ぼくらの周知の小道具の隠れた細部を強調したり、対物レンズをみごとに駆使して平凡な周辺を調べ上げたりして、一方では、ぼくらの生活を必然的に支配しているものらへの洞察を深めさせ、他方では、これまでは思いも寄らなかった巨大な遊戯空間を、ぼくらのために開いてみせるのだ。（一七五ページ）

この引用部分で、ベンヤミンは映画の機能を、世界の諸状況を分析するように、簡潔に語り尽くしている。機械化され、人間性が危機に陥った社会、あげくの果ては政治的にファシズムに飲み込まれつつあった当時の社会を映画によって、解明し、同時にその文明を越えていく方法を見いだそうとしていた。かつての芸術の没落に身をまかせて、凋落の運命をともにしてはならない。映画には時代をのりこえていく可能性があるかもしれない。まずその生産から見ていくとしよう。「映画制作」はまさに現代でないとありえなかった過程である。

あらたなミメーシス

観客の経験とは、遊戯空間を経験することなのだ。これが複製技術から生まれてきた芸術の社会的機能である。この遊戯空間はアウラが生きていた時代に、そこにのみ芸術があると思われた「美しい仮象(schönen Schein)」の王国からは抜け出ている。それはもはや仮象ではないのだ。ベンヤミンはこれに代えて、本文ではなく「注」において、極めて興味深いミメーシス論を展開している。ミメーシス(模倣)とはギリシャ以来、すべての芸術活動の根源にある。古典古代やゲーテの芸術観の根源には、ミメーシスがある。そしてこのミメーシスこそ「仮象」をつくりだすために実践されたのである。ここまでベンヤミンは、こうした芸術の凋落を語ってきた。それを超えて発生するあたらしい芸術を論じてきた。ここでベンヤミンはもう一度、ミメーシスにまで立ち返ってあたらしい芸術の歴史的な力を説きなおしてみようとしている。なぜなら、ベンヤミンはミメーシスのなかには実は仮象と遊戯の二面があって絡み合っていることを見いだしたからである。ベンヤミンは次のようなミメーシス論を展開している。「注」であり、かなり長いが、『複製技術時代の芸術作品』のなかの理論的白眉といってよいので、引用するだけの価値がある。

この〔仮象と遊戯の〕両極性に弁証法的な思想家が関心を抱くのは、この両極性が歴史的な役わりを演ずる場合に限られるのだが、しかしじじつ、これは歴史的な役わりを演じている。しかもこの役わりは、あの第一の技術と第二の技術とのあいだの世界史的な対決によって、規定されている。第一の技術のすべての魔術的方法の、もっとも使い古されているが同時にもっとも永続的でもある図式が、仮象であるのにたいして、第二の技術のすべての実験的方法の、無尽蔵の貯蔵庫は、遊戯なのだ。在来の美学は、このような仮象の概念とも、また遊戯の概念とも、縁がない。そして、この一対の概念から、礼拝的価値と展示的価値という一対の概念が生まれてくるといっても、その限りでは何ということもないけれども、これらの概念が歴史と関係づけられれば、とたんに事情は一変する。そこからは実践的な洞察が得られる。すなわち、芸術の諸作品において仮象が衰微し、アウラが凋落するにともなって、巨大な遊戯空間が獲得される、という洞察が。もっとも広い遊戯空間は、映画において開かれた。映画において、仮象のモメントは完全に背後に退き、これに遊戯のモメントが取って代わっている。(一九四―五ページ)

つまりベンヤミンはミメーシスという芸術の根源にたち返り、そこから弁証法的な歴史を明らかにしながら、アウラが凋落したあとにあらわれる巨大な遊戯空間の芸術論を展開しようとしたのだ。

ベンヤミンの『複製技術時代の芸術作品』というと、アウラ、礼拝的価値、展示的価値の三題噺のように思われがちだったが、さにあらず、むしろミメーシスを分解し、それを歴史化し、その結果、アウラを喪失したときに、芸術は史上初めて巨大な遊戯空間に生きる場を見いだす過程を展開してみせたのである。ベンヤミンが第一と第二の技術を分節することについてはすでに触れたが、単純化するなら、古代の技術と現代の技術と理解しておけばよい。重要なのは第二の技術だ。それは「社会の諸力を使いこなせることを、自然の基本的諸力との遊戯のための、前提としている」。個人はまだこの遊戯的空間を使いこなせないのだ。次の引用も「注」からである。

いいかえれば、第一の技術を清算することで解放された個人が、いまや自身の要求をかかげだす。第二の技術が最初の革命的な諸成果を確保しおえることがないうちからすでに、第一の技術によっては隠されていた個人の重要問題が――愛とか死とかが――新しく解決を求めてくる。フーリエの仕事は、このような要求の最初の歴史的なドキュメントである。（一九一ページ）

『複製技術時代の芸術作品』の翻訳を引き受けたクロソフスキーがベンヤミンを「マルクスとフーリエのあいだ」にあると評したのは、ベンヤミンはガチガチのマルクス主義者ではなく、遊戯的、感情的な部分があったことが翻訳者としてわかっていたのだろう。しかし大衆は日夜、機械に酷使されているが、その苦労は、映画によって「雪辱」されるというベンヤミンの主張は充分なのか？

展示的価値の政治学

たしかに俳優は機械の前で演技するだけなのだが、大衆の前で、その映像は実現されることを映画俳優はよく知っている。彼の演技は大衆によってコントロールされていることになる。だがこのコントロールは(これまでに述べてきたように)、充分、革命的でありうるのだ。

ところが大衆による「コントロールという革命的なチャンスは、映画資本によって反革命的なチャンスに転化させられている」のが現状である。スターは人格を商品化されているし、資本は観客に媚びる。ベンヤミンは映画を制作する機械装置が、政治的条件、政治家の機能をも展示性に変化させることを理解していた。もし展示だけが問題ならば、別人が代わってもよい。ここにあらわれるのはあたらしい選択法であり、ここにチャンピオン、スター、独裁者等々、何が選ばれても不思議ではない政治的状況が映画によってつくりだされたということである。

もちろんベンヤミンは大衆という規定しがたいものを一括して信じているわけではない。意識したプロレタリアートと一枚岩をなす小市民とは区別されていた。小市民層が反動的、反革命的でありうることはいうまでもない。その一枚岩で戦争への熱狂、ユダヤ人迫害などをやってのけるのだ。とはいえこの革命と反革命という二つは同じ映画技術の歴史性の両面である。

ベンヤミンの映画論の面白さは、こうして映画のメカニズムそれ自体を社会論、政治論にしてみせたことである。

映画の可能性と危険

ベンヤミンの洞察力の見事さは、映画の時代を生きる大衆と芸術の関係の分析にもあらわれる。大衆はピカソの前では後ずさりするが、チャップリンの前では前進的に呼応する。前衛絵画にたいしては大衆は批判的な態度と享受的な態度に分裂する。われわれがしばしば感じるように、この大衆は保守的なものを支持し、真にあたらしいものには反感をもつのが普通である。

映画館では個人の反応が大衆のまとまった反応を形成する。大衆が集団的に反応することを手ばなしで喜ぶわけにはいかない。芸術の方が大衆を求めはじめたときに、大衆の政治化も発生する。映画資本はスター崇拝と同様に、大衆礼賛もやってのける。

観客崇拝もまた、スター崇拝と並んで、大衆の心性の腐敗を促進しているが、この腐敗した心性こそ、ファシズムが大衆のなかに、階級意識に代えて植えつけようとしているものにほかならない。(一六七ページ)

ベンヤミンには、映画産業がしている各種のイヴェントは映画への根源的で正当な関心を、腐敗した方向へそらせるためのものに思えた。「一般にファシズムに妥当することが、特殊には映画資本に妥当する」。彼には、映画産業は、ファシズムとプロレタリアート両方が、自陣営に引き入れたいものであることがはっきりと理解されていた。それはここまでに述べてきたように、映画の生産過程自体が、現代社会の仕組みと似ており、しかもその最終的な結果(映画)が労働者の苦悩を超えて行くことになっているからだった。しかしその方向は政治的に捩じ曲げられうるが、あたらしい「芸術」が可能になる場として、かつてないほどの巨大な遊戯空間がある。ベンヤミンは映画の積極的な社会的機能、つまり人間と映画の関係を次のようにまとめている。

映画は、人間生活においてほとんど一日ごとにその役わりが増大してきている機構〔機械装置〕との、密接なかかわりによって条件づけられた知覚・判断能力を、また反応能力を、ひとが練習することに役立っている。ひとは同時に、この機構との密接なかかわりから、機構に奴隷的に奉仕している現状を変革して、機構を用いての解放を達成しうるためには、第二の技術が開拓したあたらしい生産力に、人類の心性がまずすっかり適応することが先決問題である、ということを学ぶのだ。（一五二ページ）

9　触覚の人ベンヤミン

くつろいだ鑑賞

ベンヤミンは、芸術を鑑賞する態度として「気散じ」とか「くつろぎ」という言葉をよく使う。その態度は従来の(そしていまでも)芸術を受容する仕方からいうと、違和感をあたえかねない。現在でも大抵の場合、芸術は美的崇拝の対象であり、精神を集中させて見るものだと思われている。したがって「くつろいで」見るという態度は誤解を招くか、さもなければ芸術鑑賞と思われている態度を異化するためにわざわざ導入されたように思われる。しかしベンヤミンは、ほんとうにくつろいで見ることを正当だと思っていたし、芸術理論の根源を議論するのに必要な伏線でもあった。

「くつろぎ」が出てくる源泉はいくつかある。ひとつはブレヒトからきたものである。ベンヤミンはブレヒトの演劇について『叙事的演劇とはなにか』を書いている(執筆の時期としては『複製技術時代の芸術作品』よりあとになるが、この論考はいくつかの試論を書いているから時間はあまり問題にはならない)。その論考で、ブレヒトの演劇は「〔くつろいで」ゆったりと劇の動きを追う公衆を、観客として予想している」と書いている。このくつろいだ関心とは、その演劇はクライマックスを排除し、「かれらの感情移入能力への訴えがほとんどなされない」ようにできているからである。感情移入がアウラのもとになるから、それを拒むこと、アンティ・クライマックスで貫かれることはひとつのショックである。

第二に考えられるのは「大衆が母体となって、現在、芸術作品にたいする従来の態度のいっさいは、新しく生まれ変わっている」こと、つまり大衆が登場すれば、畏まって見ることなど成り立たないのである。芸術はもはや知識人や愛好者のものではなくなった。それは引き返せない傾向だ、と判断していた。

第三には彼自身が、ベルリンで幼年時代に楽しんだ「皇帝座パノラマ館」の経験からの発展がある。このパノラマは十九世紀にはやったパリやロンドンのパノラマとちがい、内部に回転部分を含み、観客は外から覗き眼鏡で見ながら、次々に変わっていく立体写真を見る装置をパノラマと呼んでいたのだ。ささやかな経験であり、まだ芸術としての形式はなかった。しかし「しばしば目立たない社会的な変化が、あたらしい芸術形式にようやく役立つことになるはずの芸術受容のしかたの変化をめざしていることがある」。

これはいかにもベンヤミンらしい解釈である。実際、覗き眼鏡の向うで移り変わっていくイメージの経験は、のちの映画の観衆の経験の、粗雑ではあるが原型になるものであった。そこではいかなる意味でも観客の精神は緊張しないし、くつろいで楽しんでいた。こうしてみるとベンヤミンが「くつろぎ」を、あらたな芸術鑑賞の態度と見做しても不思議ではなかった。たとえばダダの一見、無茶苦茶な作品を、じっと眼を凝らして見るなどということが考えられるだろうか？　そんなことをしていると作品の方が笑い出してしまうだろう。

歴史的な力の中心

ベンヤミンがダダを論じる場合、「ハンス・アルプの絵画やアウグスト・シュトラムの詩の前では、ドランの絵画やリルケの詩の前でのように精神を集中して、意見をまとめる時間を過ごすことは、できない」と書いている。しかし彼はダダを無価値ながらくたとは思っていないのだ。『複製技術時代の芸術作品』では、同時代の前衛美術家はほとんど語られていない。しかしすでに触れたようにデュシャンについては短い文章が残っているし、ルイ・アラゴンやアンドレ・ブルトンなどのシュルレアリストについても語っている。それらのなかではダダイズムについての言及はもっとも興味深い。

あたらしい芸術には、まだ適切な形式を見つけられないでもがいているような時期があるものだ。そんな場合、芸術は奇矯に見えたり、粗野であったりするが、ベンヤミンは、この粗野で奇矯な形式も「芸術の豊穣きわまる歴史的な力の中心から、発してきている」と考えていた。ダダについての理解は、現在でも必ずしも充分とは言えないが、このベンヤミンの寸評は、ダダを芸術の歴史のなかに的確に位置づけている。「芸術の豊穣きわまる歴史的な力」とは、まさにリーグルの「芸術意欲(Kunstwollen)」を言い換えたものであった。おそらくダダのような作品の知覚は重要である。その野蛮さはたんなる破滅的行為、あるいはスキャンダル目当てとしてしか人の眼に写らないかもしれないが、まさに時代が変わろうとしている、そんな歴史の核心をかたちづくっていたのだ。ベンヤミンの、この洞察を見逃してはならない。

もっと技術が進み、無理なく形式化が図れ、効果をうみだせるように芸術が成熟する以前の活動だったから、ベンヤミンのように芸術の歴史哲学をつくりあげてきた人でないかぎり、ダダイズムにあたらしい芸術の文脈をあたえることはできなかったにちがいない。ベンヤミンの眼には、「映画」というものが生み出そうとしていた効果も、まったく同じ位相にあるように見えた。ダダは意図して売り物にならないように、素材の質を落とし、文学の場合は、ごたまぜの屑言葉を使い、絵画の場合だとボタンや切符を貼りつけたりしたものだった。だから容赦なくアウラは消されたし、精神の集中は妨げられた。ブルジョワジーの芸術が社会性を失っていくようになったことにたいして、激烈な気散じをやってのけたのである。

ここまでくると「くつろぎ」とか「気散じ」とかいう態度は、それ自体が重要なのではなく、きわめて重要な知覚が作用するための、副次的な、しかし必要条件だったといえよう。重要な知覚とは、リーグルがすべての芸術形成の基礎概念とした視覚的と触覚的の二つである。そこからベンヤミンが、歴史を受容し、理解するに不可欠の媒介にまで深化させたものであった。

建築の経験

彼は、こうした知覚による芸術の受容の歴史的変遷を考えるには建築を例にとるのが一番よいと考えた。どんな原始的な社会でも、人間は住むための空間を必要としてきたし、その欲求が消えることはないから、建築は、演劇や叙事詩などが時代とともに生成したり、消滅したりすることがありえたなかで、消え失せることなくつねに作られ続けてきた。それに建築は、いつも「くつろいで」受容されるのである。

建築の及ぼす作用を考えてみることは、大衆と芸術作品との関係を究明しようとするすべての試みにとって、意味がある。建築物は二重のしかたで、使用することと鑑賞することとによって、受容される。あるいは、触覚的ならびに視覚的に、といったほうがよいだろうか。（一八三ページ）

われわれは建築を使用する。そのとき明らかに部屋が狭いとか、冷たいとかを、身体感覚のどこかで感じながら使っているのだ。そのように感じることが目的ではない。そこでの活動は非常に多様であり、活動を介して経験する建築の方もまた多様な形式をもつようになる。建築の経験はそれこそ日常的である。だから現実の知覚に先立って、われわれの身体には、ある種の知覚的受容の準備ができている。われわれは建築を生きているのである。かりにそれがあたらしく出来た建築であっても一度経験すると、建築雑誌のための写真のよそよそしさに比べると、はるかに親密さをもって知覚している。

触覚的受容

こうした建築経験の全体が、いわば触覚的というべき受容を形成している。触覚的受容とは手で撫でるとか、指先で接するとかの場合の知覚をいうのではない。すでに述べたことであるが、時間をかけ、思考にも媒介され、多次元化した経験にともなう知覚を「触覚的」(ラテン語起源の taktile をベンヤミンは使う)と呼ぶのである。この触覚的受容のなかには、何気なくちらっと眺めるという視覚的受容も含みこまれる。あらためて建築を注視し、精神を集中させてその意味を考えてみようとするのは、建築家か建築の研究者、それに遺跡を求めて有名建築の前に立った旅行者などである。これらは例外である。

触覚的な受容は、注目という方途よりも、むしろ慣れという方途を辿る。建築においては、慣れをつうじてのこの受容が、視覚的な受容をさえも大幅に規定してくる。（一八三ページ）

ここまでくると「気散じ」とか「くつろぎ」とかを、なぜベンヤミンがもちだしたのかが理解できるだろう。それはこのような意味での触覚的受容が始まる条件のひとつだったのである。それは時間をかけての受容なのである。建築群は地表を覆っており、互いに異質であり、都市という時空間を背景にすると、すべてが未完成であるといってもよい。建築の経験、受容のしかたは、世界そのものを経験することに近接している。われわれは世界とか、都市とかを受容するしかたを、無意識のうちに日々、学んでいるのである。こうして身につけていく受容のしかたは、「ある種の状況のもとでは規範的な価値をもつ」とベンヤミンはいう。ベンヤミンは「触覚」をきわめて重要な主題として引き出すのである。

歴史の転換期にあって人間の知覚器官に課せられる諸課題は、たんなる視覚の方途では、すなわち静観をもってしては、少しも解決されえない。それらの課題は時間をかけて、触覚的な受容に導かれた慣れをつうじて、解決されていくほかはない。(一八三ページ)

触覚による思考の組み替え

触覚的知覚は、あえていうなら現象学的な経験の根源をなしている。現象学も含め、これまでの思想のほとんどが、視覚の比喩で成り立っていたことを思うと、触覚を根源に据えることは、思考そのものの大幅な組み替えである。しかも触覚は再現できないのである。ベンヤミンは触覚的受容の重要性を映画の可能性を検討しているうちに気づいたのである。映画が開く巨大な遊戯空間の根源にも、触覚的な知覚が横たわっている。

ベンヤミンの時代は芸術が大衆を動員しはじめた時代である。しかし多くの人間が惰性的にもっている知覚を見きわめ、思考を組み替えるような知覚の諸課題から逃れていたいという気分をもっていた。「芸術」という概念をいかに厳密に考察しようと、長い経験の無意識に根ざし、あたらしい理念の隙間をぬって追憶のように戻ってくる芸術を追い払うことはできない。アウラはこの追憶の内実であった。だが彼が優れているのは、皇帝座パノラマ館でのブルジョワ子弟としての快楽的な知覚経験の追憶を、やがてあたらしい芸術になる未然形の歴史に変形できる能力をもっていたことである。ベンヤミンの時代では、厄介な課題に挑むには、くつろぎながら、映画によって触覚での受容の練習をすることになるのである。ベンヤミンは、知覚にかんする学問の筋を追っていた。

映画はそのショック作用をもって、くつろいだ形態の受容に対応している。このように映画は、この側面からしても、ギリシャ人において美学と呼ばれたあの知覚にかんする学の、明らかにこんにちもっとも重要な対象となっている。（一八四ページ）

表面的に理解するかぎり、写真のアウラ解体を精緻に判断し、映画に可能性をみたベンヤミンを、視覚の人だと思うのが普通であろう。もしそうだったら、論理はもう少し容易であったかもしれない。ところがベンヤミンが触覚に可能性を見たのは、はるかに深く、複雑に歴史が変わっていく過程を読む能力の根源に触覚があったからである。繰り返すようだが「たんなる視覚の方途では、少しも解決されえない。それらの課題は時間をかけて、触覚的な受容に導かれた慣れをつうじて、解決されていくほかはない」のである。もちろんこの経験には眼の作用も織り込まれているが、ベンヤミンは、「触覚的受容」を根源と見做した人であった。そのようにして歴史の転換期を超えていこうとしていたのである。

大衆を鳥瞰する技術

『複製技術時代の芸術作品』の冒頭のⅠ節と、最後のⅩⅨ節とは呼応している。この論考を書きながらいつもベンヤミンの心になにが宿っていたかを物語る。Ⅰ節では「以下の論述において芸術理論に導入される諸概念は、ファシズムの目的のためにはまったく役立たないという点で、あのありふれた諸概念とは異なっている。他方、ここで新しく導入される諸概念は、芸術政策における革命的な要請を、定式化するための役に立つ」と述べているが、ⅩⅨ節では、現在の「プロレタリア大衆は所有関係の廃絶をめざしているが、ファシズムは、所有関係には手を触れずに、大衆を組織しようとしている」と書きはじめ、ファシズムはこのために大衆に自己表現の機会をあたえ、それが複製技術によっていかに実現しやすくなったかを語っている。

ベンヤミンは、このことに関連した「注」で週間ニュース映画をあげ、複製技術が大衆の複製にどれほど役立っているかを指摘している。当時、パリにいたベンヤミンが、レニ・リーフェンシュタールの『意志の勝利』を見たことがあるかどうかはわからない。しかしニュース映画が、大規模のパレードなど、群衆の動きを捉えるには肉眼よりも機械装置が適していると語るとき、あの映画を思い出さないわけにはいかないのである。「数十万人ものメンバーを捉えるには、鳥瞰するのがいちばんよい。そして人間の目が機械装置と同じく鳥瞰する位置にある場合でも、眼の捉える映像は、撮影されたそれとは違って、拡大することができない」。ベンヤミンはそこからファシズムにおいて政治が芸術であるという、政治の耽美主義に至り、その耽美主義の行きつくところに戦争をみていた。

遊戯性と触覚性

このような大衆の登場による紛れもない歴史の転換点を生きつつあった、ベンヤミンは、『複製技術時代の芸術作品』において、まさにその時代の「芸術理論」をうちたてることに精力を傾けた。彼は、自律的な形式だけでは芸術を評価しなかったから、その芸術理論は必然的にあらゆるものを含んだ歴史に到達することになる。どんな作品でも社会的な諸条件と無関係ではない。彼は作家を、この社会のなかでの生産者としてみたが、それは「技術」を引き出すためであった。しかしその芸術理論はむしろ受容の側からなされている。受容者はいつでも社会的な存在である。制作と受容はもはや分けることのできないものである。

この論考をふりかえってみよう。ふたつの主要な概念が導入されている。ひとつがすでに挙げた「技術」であり、もうひとつが「知覚」である。ここでの技術論の核心は、技術を、第一と第二に分けていることである。いうまでもなく重要なのは第二の技術である。すでに述べたようにこの技術の根源は「遊戯」である。そこから当時としてはもっともあたらしい芸術であった映画が、巨大な遊戯空間を展開しうることが見いだされる。「知覚」については、それに先立ってアロイス・リーグルから「芸術意欲」の概念にヒントをえているが、『複製技術時代の芸術作品』では、同じくリーグルに根のある「触覚的―視覚的」の意義の方が大きい。しかも「触覚的」に力点がおかれているのである。

こうしてかなりゆきつもどりつする議論をたどってみると、彼の芸術理論の根源には、「遊戯性」と「触覚的」の概念があるといってよかろう。歴史なるものは、この芸術の根源にある概念をとおして理解される。これは歴史哲学へのひとつのステップであった。

未熟な社会を成熟させる芸術

ベンヤミンはわれわれがまだ戦争を免れていないこと、それどころか、戦争を美化するものさえいることを指摘する。ファシズムしかり、未来派しかり。これにたいしてベンヤミンは、技術と社会の未熟さをあげて次のように述べている。

〔技術の〕不自然な利用の場は戦争である。破壊に破壊を重ねる戦争は、社会がまだ技術を自身の手足とするほどまでに十分には成熟していないこと、そして技術の方も未成熟であって、社会の基本的諸力をまだ捌けずにいることを、証拠だてている。（二八六―七ページ）

ベンヤミンの革命的な芸術論にひそむ政治学は、こうした未熟さをかえりみず、それを美化する政治に対抗するものであった。いまは未熟な社会と技術を成熟させるのは、おそらく芸術の力によると、ベンヤミンは思っていたにちがいない。なぜなら芸術はブルトンのいうように「未来を反映することのおののきに、終始貫かれているかぎりにおいてのみ、価値をもつ」からである。ベンヤミンのテクストの補遺にもひとつの示唆がある。

芸術の歴史は予言の歴史である。それは直接の、アクチュアルな現在の視点からしか記述できない。というのは各時代は、遺産によっては伝えられない、固有のあたらしい可能性をもっている。(Ms. 397)

複製技術時代の芸術作品

野村　修訳

Le vrai est ce qu'il peut ; le faux est ce qu'il veut.

ド・デュラス夫人[1]

I

マルクスが資本主義生産様式の分析を企てたとき、この生産様式は初期の段階にあった。マルクスは、その研究が予測的な価値をもつように、研究を構成している。かれは資本主義的生産の基本的な諸関係に遡った上で、そこからの帰結として、資本主義がその後どのような特性をおびてゆくことになりうるかを、叙述したのだ。帰結されたのは、資本主義が今後、プロレタリアの搾取をしだいに強化してゆく怖れがあること、だけではなかった。資本主義自体の廃絶を可能とするような諸条件もまた、ついには生み出されることが、そこから帰結されたのだった。

上部構造の変革は、下部構造の変革よりもはるかにゆっくり進展してゆくので、生産条件の変化が文化のすべての分野で効果を表わすまでには、半世紀以上の時間が必要だった。どのような形態でこのことが実現したかは、こんにちになってようやく指摘できる。この指摘に予測的な要求を結びつけることも、ある程度はできるが、そのような予測的な要求に応えるものはしかし、権力奪取後のプロレタリアートの、ましてや無階級社会の、芸術にかんする諸テーゼではない。むしろ、現在の生産の諸条件のもとにおける芸術の、発展の傾向にかんする諸テーゼである。生産の諸条件の内包する弁証法は、経済においてに劣らず、上部構造においても認められるものなのだ。それゆえ、後者の諸テーゼの闘争的価値を過小評価することは、間違っていよう。この諸テーゼは、数かずの伝来の概念を——創造性や天才性、永遠の価値や神秘の概念を——切り棄てている。この種の諸概念は、コントロールせずに適用されると(そして現在ではこれらをコントロールして適用することは難しい)、現実の素材をファシスト好みに加工することになってしまう。以下の論述において芸術理論に導入される諸概念は、ファシズムの目的のためにはまったく役立たないという点で、あのありふれた諸概念とは異なっている。他方、ここで新しく導入される諸概念は、芸術政策における革命的な要請を、定式化するための役に立つ。

II

芸術作品は、原則的にはいつも複製可能だった。人間が作り出したものは、いつでも人間によって模倣されることができた。そのような模作は、弟子たちによっては技法に習熟するために、名匠たちによっては作品を普及させるために、さらに第三者たちによっては利益をむさぼるために、なされることもあった。この種の模作と比べると、芸術作品の技術的複製は新しい。これは歴史のなかで間欠的に出現してきた。そしてひとつの出現からつぎの出現までには長い間隔があったとはいえ、しだいにぐいぐいと強度を加えて、いまではすでに押しも押されもせぬ地位を占めている。木版の出現によって、初めて版画という複製技術が生まれた。その後長い時間を経て、印刷技術によって、文字もまた複製可能となった。文字の複製技術である印刷が文学にどんな大きな変化を呼びさましたかは、いうまでもあるまい。しかしその変化は、この論述で世界史的な尺度をもって考察される現象〈総体〉のうちでは、たしかに重要なものではあるが、たんに〈ひとつ〉の特殊な例にすぎない。中世のあいだに彫刻銅版画と腐蝕銅版画が、一九世紀の初頭には石版画が、木版画に付け加わっている。

石版画をもって、複製技術は根本的に新しい段階に到達した。絵画を石の面に写し出す作業は、木片に刻み込んだり銅版を腐蝕させたりする作業とは違って、はるかに簡潔で的確だから、石版こそが、たんに版画を(それまでと同様に)大量に市場に出すだけにはとどまらず、日毎に新たな画面を市場に出すことをも、初めて可能にしたのである。石版画によって版画は、日々のできごとを絵画化する能力をもつこととなり、活版印刷と歩調を合わせはじめた。といっても、始まったばかりの石版画は、その発明から数十年とたたないうちに、写真に追い越されてしまうことになる。写真は映像の複製過程において、芸術家としての重要きわまる責務から、初めて手を解放した。そしてその責務は、もっぱら目が引き受けることとなった。手がえがくよりも素早く目は物を捉えるから、映像の複製過程はいちじるしく速くなり、発語とも歩調を合わせることが可能になる。石版画が絵入り新聞の可能性を秘めていたとすれば、写真はトーキーの可能性を秘めていたわけだ。音の複製技術は、前世紀末に着手されている。つまり一九〇〇年を画期として複製技術は、在来の芸術作品の総体を対象とすることにより、芸術作品の影響力に深刻きわまる変化を生じさせる水準にまで、到達したのだが、ことはそれだけでは済まず、芸術家たちの行動のさまざまな在りかたのうちにも、複製技術はそれ自体、独自の場を確保する水準にまで、到達したのである。この水準を探究するためには、その二つの異なった発現形態――芸術作品の複製と、映画芸術と――が、従来の形態の芸術にどのような逆作用を及ぼしているかを、明らかにすることが、何より役立つにちがいない。

最高の完成度をもつ複製の場合でも、そこには〈ひとつ〉だけ脱け落ちているものがある。芸術作品は、それが存在する場所に、一回限り存在するものなのだけれども、この特性、いま、ここに在るという特性が、複製には欠けているのだ。しかも芸術作品は、この一回限りの存在によってこそその歴史をもつのであって、そしてそれが存続するあいだ、歴史の支配を受けつづける。作品が時間の経過のなかでその物質的構造にこうむる変化にしても、また、場合によって起こりうる所有関係の交替にしても、その歴史の一部分である。物質的構造の変化の痕跡を辿るには、化学的あるいは物理学的な分析に頼らざるをえないが、このような分析は複製には適用できない。所有関係の変遷の痕跡を辿ることは、いわば伝統の道筋を対象とすることになるが、これを追跡するには、オリジナルがまず存在した場所から出発せざるをえない。

III

オリジナルが、いま、ここに在るという事実が、その真正性の概念を形成する。そして他方、それが真正であるということにもとづいて、それを現在まで同一のものとして伝えてきたとする、伝統の概念が成り立っている。真正性の全領域は複製技術を――のみならず、むろん複製の可能性そのものを――排除している。しかし、偽造品という烙印が押されるのが通例の手製の複製にたいしては、真正のものはその権威を完全に保持するとはいえ、技術による複製にたいしては、そうは問屋が卸さない。その理由は二つある。第一に、技術による複製はオリジナルにたいして、手製の複製よりも明らかに自立性をもっている。たとえば写真による複製は、位置を変えて視点を自由に選択できるレンズにだけは映っても人間の目には映らない眺めを、オリジナルから抽出して強調することができる。あるいはまた、引き伸ばしや高速度撮影の特殊な手法の助けを借りて、普通の目では絶対に捉えられない映像を、定着することもできる。これが第一点。加えて、技術による複製は第二に、オリジナルの模像を、オリジナル自体にかんしては想像も及ばぬ場所へ、運びこむことができる。何よりもそれは、写真のかたちであれディスクのかたちであれ、オリジナルを受け手に近づけることができる。大寺院もその場所を離れて、芸術愛好家のアトリエに受け入れられるようになり、大ホールや野外で歌われた合唱作品も、室内で聴かれるようになる。

ところで、このような状況の変化は、芸術作品の存立に手を触れるものではないかもしれない――が、ともかく作品が、いま、ここに在るということの価値だけは、低下させてしまう。このことは、たとえば映画において観衆の眼前をよぎる風景についてもいえることであって、芸術作品についてだけいえることとは違うけれども、それでもこの過程は、作品のもっとも敏感な核心に触れてゆく。自然物にはそれほど傷つきやすい核心はない。その核心とは、作品の真正性だ。ある事物の真正性は、その事物において根源から伝えられうるものの総体であって、それが物質的に存続していること、それが歴史の証人となっていることなどを含む。歴史の証人となっていることは、物質的に存続していることに依拠しているから、この存続という根拠が奪われている複製にあっては、歴史の証人となる能力もあやふやになる。たとえ、あやふやになるのがこの能力だけだとしても、でもこうして揺らぐものこそ、事物の権威、事物に伝えられている重みにほかならない。

この権威、この伝えられた重みを、アウラという概念に総括して、複製技術時代の芸術作品において滅びてゆくものは作品のアウラである、ということができる。この成りゆきはひとつの徴候であり、この成りゆきのはらむ意味は、芸術の分野よりはるかに広い範囲に及ぶ。一般論として定式化できることだが、複製技術は複製されたものを、伝統の領域から切り離してしまうのである。複製を大量生産することによってこの技術は、作品の一回限りの出現の代わりに、大量の出現をもたらす。そして受け手がそのつどの状況のなかで作品に近づくことを可能にすることによって、複製された作品にアクチュアリティーを付与する。伝えられてきた作品は、この二つの過程をつうじて、激しく揺さぶられる。伝統の震撼というこの事態は、人類の現在の危機と、新生と、表裏をなす事態であって、この二つの過程は、こんにちの大衆運動ときわめて密接に関連している。この点をもっとも強力に代表するものが映画だ。映画の社会的な重要性は、そのもっとも現状肯定的な形態においてすら、いや、まさにこの形態においてこそ、その破壊的な側面、カタルシス的な側面を抜きにしては、考えることができない。文化遺産における伝統的価値を、それはきれいに清算している。こういう現象は、歴史を扱った大規模な映画においていちばん具体的に見てとれるが、いまやますます広範に、さまざまな戦略地点を、自己の領域へ取りこんでいる。だからアベル・ガンスが一九二七年に、「シェイクスピア、レンブラント、ベートーヴェンが映画になるだろう。……あらゆる伝説や神話が、あらゆる宗祖が、のみならずあらゆる宗教が……画面によみがえるのを待っているし、門前には英雄たちがひしめき合っている」、と熱狂的な声をあげた〔1〕とすれば、かれは、自覚せずにだったかもしれないが、全般的な清算へ向かって、ひとびとを招いていたわけである。

Ⅳ

歴史の広大な時空間のなかでは、人間の集団の存在様式が総体的に変化するにつれて、人間の知覚の在りかたも変わる。人間の知覚が組織されている在りかた――知覚を生じさせるメディア――は、自然の諸条件に制約されているだけでなく、歴史の諸条件にも制約されている。ローマ時代後期の工芸や、いまヴィーンにある密画を成立させた、あの民族大移動の時代は、たんに古典古代とは別の芸術をもっていただけではなくて、別の知覚をももっていた。このローマ時代後期の芸術が古典古代の伝統の重みのもとに埋没してしまっていたとき、その伝統の重みに抗したヴィーン学派の学者たち、リーグルやヴィックホフは、初めて、この芸術が意義をもった時代の知覚がどう組織されていたかを、この芸術から推理する、という考えに想到している。かれらの認識の射程はじつに大きかったが、それにも限界はあった。つまりこの学者たちは、ローマ時代後期の知覚に特有だった形式的な特色を、指摘するだけで満足してしまったのだ。この知覚の変化のなかに表出されていた社会的変動を、かれらは明示しようとは試みなかった――というか、おそらく、もともとそんなことは思いのほかだった。現在では、しかるべき洞察への諸条件は、ずっと整ってきている。知覚のメディアの変化に現に立ち会っているぼくらは、この変化がアウラの凋落として把握されるとき、この凋落の社会的な諸条件を示すことができる。

いったいアウラとは何か？　時間と空間とが独特に縺れ合ってひとつになったものであって、どんなに近くにあってもはるかな、一回限りの現象である。ある夏の午後、ゆったりと憩いながら、地平に横たわる山脈なり、憩う者に影を投げかけてくる木の枝なりを、目で追うこと――これが、その山脈なり枝なりのアウラを、呼吸することにほかならない。この描写を手がかりとすれば、アウラの現在の凋落の社会的条件は、たやすく見てとれよう。この凋落は二つの事情にもとづいている。そしていずれの事情も、大衆がしだいに増加してきて、大衆運動が強まってきていることと、関連がある。すなわち、現代の大衆は、事物を自分に「近づける」ことをきわめて情熱的な関心事としているとともに、あらゆる事象の複製を手中にすることをつうじて、事象の一回性を克服しようとする傾向をもっている。対象をすぐ身近に、映像のかたちで、むしろ模像・複製のかたちで、捉えようとする欲求は、日ごとに否みがたく強くなっている。この場合、写真入り新聞や週間ニュース映画が用意する複製が、絵画や彫刻とは異なることは、見紛いようがない。一回性と耐久性が、絵画や彫刻において密接に絡まり合っているとすれば、複製においては、一時性と反復性が同様に絡まり合っている。対象からその蔽いを剝ぎ取り、アウラを崩解させることとは、「世界における平等への感覚」を大いに発達させた現代の知覚の特徴であって、この知覚は複製を手段として、一回限りのものからも平等のものを奪い取るのだ。このようにして視覚の領域で起こってきていることは、理論の領域で統計の意義がしだいに顕著になってきていることに、ひとしい。大衆にリアリティーを適合させ、リアリティーに大衆を適合させてゆく過程は、思考にとっても視覚にとっても、限りなく重要な意味をもっている。

V

芸術作品が唯一無二のものであることは、それが伝統の関連のなかへ埋めこまれていることにほかならない。とはいえ、この伝統自体はまったく生きものであって、ことのほか変わりやすい。たとえば古代のウェヌスの像は、古代ギリシア人のもとでは礼拝の対象だったが、中世のカトリックの聖職者のもとでは、別の伝統の関連のなかに置かれて、不吉な偶像と見なされた。しかしどちらの場合にも、似たような工合にひとに迫ってきたのは、その像が唯一無二のものであることであって、いいかえるなら、それのアウラだった。芸術作品を伝統の関連のなかへ埋めこむ根源的なしかたは、礼拝という表現をとったわけである。最古の芸術作品は、ぼくらの知るところでは、儀式に用いるために成立している。最初は魔術的な儀式に、ついで宗教的な儀式に用いるために。ところで、芸術作品のアウラ的な在りかたが、このようにその儀式的機能と切っても切れないものであることは、決定的に重要な意味をもっている。いいかえると、「真正の」芸術作品の独自の価値は、つねに儀式のうちにその基礎を置いている。儀式というこの基礎は、どれほど間接的なものになろうとも、美の礼拝というきわめて世俗的な形式のなかにも、世俗化された儀式として、いまなお認められる。ルネサンスとともに形成され、三〇〇年間存続してきた世俗的な美の礼拝は、この期間を経過したのち、最初の重大な動揺に見舞われるに至って、いまや、あの儀式的な基礎をまざまざと露呈しているのだ。つまり、最初の真に革命的な複製手段である写真の出現とともに(同時に、社会主義の登場とともに)、芸術が危機の接近を感知したとき――この危機はさらに一〇〇年後には、誰の目にもはっきり映るようになる――芸術は、芸術のための芸術《ラール・プール・ラール》という教義を編み出すことで反応したのだが、この教義たるや、芸術の一種の神学にほかならない。ここからはさらに、ほかでもなく、「純粋」芸術の理念という形態での、神学の裏返しが、成立してきている。こちらは、あらゆる社会的機能を否認するだけにはとどまらずに、対象として予定されたものにどんなふうにであれ規定されることをさえも、きれいさっぱり否認してしまう(詩において、このような立場に最初に到達したひとは、マラルメだった)。

複製技術時代の芸術作品にかかわる考察にとって、いま述べた関連を正しく見究めることは、不可欠である。なぜなら、この関連を見究めなければ、決定的な認識は得られないのだから。すなわち、芸術作品の技術的な複製が可能になったことが、世界史上で初めて芸術作品を、儀式への寄生から解放することになる、という認識だ。複製される芸術作品はしだいに、あらかじめ複製されることを狙いとした作品の、複製となる度合を高めてゆく。〔2〕たとえば写真の原板からはいくらでも焼き付けができる。どの写真が真正のものかという問いは、そうなれば意味がない。しかし、芸術生産における真正性の尺度がこうして無力になれば、その瞬間に、芸術の社会的機能は総体的に変革される。儀式を根拠とする代わりに、芸術は別の実践を、つまり政治を、根拠とするようになる。

VI

芸術史を、芸術作品自体における二つの対極の対決としてえがきだし、その対決の歴史過程を、芸術作品における重点が一方の極から他方の極へと移行しては、また反転して後者から前者へと移行する過程の、交替と見なすことも、あるいは可能かもしれない。この二つの極は、芸術作品の礼拝的価値と、展示的価値とである。〔3〕芸術生産は、魔術に用立てられる形象の制作から始まった。この形象の場合には、存在することだけが重要であり、見られることは重要ではない。石器時代の人間が洞窟の壁に模写した大鹿の像は、魔術の道具であって、仲間たちに展示されることがあるとしても、このことは偶然でしかない。何より重要なことは、その像が精霊たちによって見られることだった。礼拝的価値自体は、ほかでもなく、隠れた状態に芸術作品を保つことを要請する。ある種の神像は奥の院にあって、聖職者しか近寄れないし、ある種の聖母像はほとんど一年中、帷で蔽われている。中世の大寺院には、見る者がはるか下から仰ぎ見るほかない彫刻のたぐいがある。個々の芸術作品の制作が、儀式のふところから解放されてゆけばゆくほど、作品を展示する機会は、それにつれて増大する。あちらこちらへ運べる胸像の展示可能性は、寺院の内部に固定されている神像の展示可能性よりも大きい。タブロー画は、これに先行したモザイク画やフレスコ画より、大きな展示可能性をもつ。また、ミサと交響曲とはたぶん、もともと同程度の展示可能性をもっていたろうが、それにしても交響曲が成立したのは、これがミサ以上の展示可能性をもつに至ることが、約束された時点においてだった。

芸術作品の複製技術の手法が多種多様になるとともに、作品の展示可能性が大きく増大してゆくと、作品の礼拝的価値と展示的価値という両極のあいだの量的な移行が、始原時代においても生じたように、作品の性質の質的な変化に転換する。すなわち、始原時代においては芸術作品は、その絶対的な重みを礼拝的価値に置いたことによって、まず第一に魔術の道具となった。それを幾分なりと芸術作品としてひとが認識するに至るのは、ずっと後代になってからだった。同様に、こんにちの芸術作品は、その絶対的な重みを展示的価値に置くことによって、まったく新しい諸機能をおびた形象となっている。その諸機能のうちでは、芸術的な機能がぼくらに意識されて際立っているけれども、もっと時間がたてば、その機能は副次的なものだったことが、認識されることになるかもしれない。ともかく確かなことは、現在では映画がこのような認識への、もっとも有効な手がかりを提供することだ。さらに、もうひとつ確かなことは、映画においてもっとも進んだかたちで出現している芸術のこの機能変化の、歴史的な射程の大きさが、それを芸術の始原時代と対決させてみることを、方法的にのみならず実質的にも、可能にしていることである。

始原時代の芸術は、魔術に用立てられるために、実用的な特定の表現法を墨守している。それも多分に、魔術の手順を踏んだものとして(先祖の像を彫ること自体が魔術をおこなうことなのだ)、同時にその手順を指示するものとして(先祖の像が儀式的な態度を、見る者に模範的に示している)、そして最後に魔術的瞑想の対象となるものとして(先祖の像を注視することが、注視する者の魔力を強化する)、作られている。人間も人間の環境世界も、このような表現法の対象となった。こうして模写されたものらは、当時の社会の必要に応じていたのだが、その社会の技術はまだ、儀式と癒着してしか存在していなかった。この技術は、〔現代の〕機械的な技術と比べれば、当然ながら遅れている。けれども、弁証法的な考察にとって重要なのは、その点ではない。弁証法的な考察にとって問題になるのは、太古の技術と現代の技術とのあいだの傾向的な差異であり、その差異は、第一の〔太古の〕技術がやたらと人間を投入するのにたいして、第二の〔現代の〕技術はできるだけ人間を投入することを少なくする、という点にある。第一の技術の技術上の偉業というべきものが、人間を犠牲に供するものであるのにたいして、第二の技術の偉業は、乗員なしで遠隔操作で飛ぶ飛行機で代表されよう。第一の技術にとっては一回性が肝要である（そこでは、けっして取り返しがつかない失敗が生ずることもあるし、永遠に意味をもちつづける代理としての犠牲死が起こることもある）が、これに反して第二の技術にとっては、一回性は少しも肝要ではない（ここでは実験が、そして実験のしかたを倦まずたゆまず多様化させてゆくことが、問題になっている）。第二の技術の根源は、人間が初めて、そして無意識の智慧を働かせて、自然から距離をとりはじめたところに、もとめられよう。いいかえれば、その根源は遊戯《シュピール》にある。

真剣さと遊戯性、厳格さと無拘束性は、あらゆる芸術作品のなかに、絡まり合って現出している——その比率は千差万別だとしても。だから、いうまでもなく芸術は、第二の技術にも、また第一の技術にも、結ばれているわけだ。とはいえ、「自然の制御」が第二の技術の目的である、と称することにはきわめて大きな異論の余地があることに、ここで注意しておかなくてはならない。技術の目的をそのようなものと称するのは、第一の技術の見地からの見かたである。じじつ第一の技術は、自然を制御することをめざしていた。しかし第二の技術はむしろ、自然と人間との共同の遊戯をめざすものであって、こんにちの芸術の決定的な社会的機能は、まさにこの共同の遊戯を練習することなのだ。このことは、とりわけ映画についていいえる。映画は、人間生活においてほとんど一日ごとにその役わりが増大してきている機構との、密接なかかわりによって条件づけられた知覚・判断能力を、また反応能力を、ひとが練習することに役立っている。ひとは同時に、この機構との密接なかかわりから、機構に奴隷的に奉仕している現状を変革して、機構を用いての解放を達成しうるためには、第二の技術が開拓した新しい生産力に、人類の心性がまずすっかり適応することが先決問題である、ということをも学ぶのだ。〔4〕

VII

写真が現われたことで、全戦線において展示的価値が礼拝的価値を駆逐しはじめる。だが礼拝的価値は、無抵抗に退却するわけではない。それが構える最後の砦は、人間の顔である。肖像写真が初期の写真の中心に位置するのは、偶然ではない。はるかな恋人や故人を追憶するという礼拝的行為のなかに、映像の礼拝的価値は最後の避難所を見いだす。人間の顔のつかのまの表情となって、初期の写真から、これを最後としてアウラが手招きする。だからこそ憂愁にみちた、比類を絶した美しさが、そこに生まれでる。しかし、写真から人間が姿を消すところでは、初めて展示的価値が礼拝的価値にまっこうから向かい合い、これに打ちかつ。この成りゆきを明示したところに、アジェーの写真の比類ない意義がある。かれは、一九〇〇年前後のパリの街路を、人影ぬきで定着してみせた。かれは犯行現場を撮影するように街路を撮影した、といわれているのは、じつに当を得ている。犯行現場にも人影はなく、その撮影は間接証拠を作るためになされる。アジェーに至って写真は、歴史過程の証拠物件となりはじめている。ここにその写真の、隠れた政治的意義がある。その写真はすでに、特定の意味で受け取られることをもとめている。それを見て自由に瞑想をさまよわせることは、もはやそれにはふさわしくない。それは見るひとを不安にさせる。ひとは、それに近づくには特定の道を探さなくてはならぬ、と感ずるのだ。同じ時期に、写真入り新聞が道しるべを立てだした。正しい道しるべか間違った道しるべか——そのことは、さしあたり問わずにおこう。とにかくここで、初めて説明文が不可欠のものとなった。説明文が絵画の標題とはまったく別の性格をもつことは、自明だろう。グラフ雑誌のなかの写真を眺めるひとが説明文をつうじて受け取る指示は、やがて映画において、より精密な、より強制力をもったものになる。映画では個々の映像の捉えかたは、それに先行した一連の映像の全体によって、あらかじめ定められているように思える。

VIII

芸術作品を技術的に複製する方法のうちで、古代ギリシア人の知っていた方法は二つだけだった。鋳造と刻印とである。ブロンズ像とテラコッタが、また硬貨が、かれらが大量に生産しえた芸術作品であって、そのほかにはなかった。ほかのものはすべて一回限りの作品であり、技術的には複製できなかった。だからこそこれらの芸術作品は必然的に、永遠性をめざして制作された。芸術において永遠の価値を生みだすことを、ギリシア人はかれらの技術の段階ゆえに、余儀なくされていたわけなのだ。その事情のせいでかれらは、芸術史上に抜きんでた位置を占めている。そして後代のひとびとはその位置と比較してみることで、自身の立脚する位置を規定することができる。ぼくらの立脚点が、ギリシア人のそれとは対極にあることは、疑いない。芸術作品が質的にも量的にもこんにちほどに技術的に複製可能だったことは、かつてなかった。ぼくらは映画において、その芸術的性格が初めて隅々まで複製可能性によって規定されているひとつの形式を、もつに至っている。

この形式をギリシア芸術と細かく対比してみるまでもあるまいが、ただ、ある厳正な一点で対比を試みることは、啓発的だろう。つまり、映画の出現と同時に芸術作品にとって決定的に重要なものとなったひとつの性質は、ギリシア人からすれば、芸術作品にもっとも認めがたいもの、あるいはそうでなくても、芸術作品のもっとも本質的でない性質と見えたであろうもの、なのである。その性質とは、作品を、より良く作り変えてゆくことを可能とする性質にほかならない。完成した映画は、さいころの〈一振り〉による創造物などではけっしてない。映画はじつに多くの映像や場面からモンタージュされるものであって、モンタージュするひとは、その映像や場面の選択権を握っている――のみならず、撮影の過程でも最初から、思いどおりの映像ができるまで、好きなだけ撮影をやり直すことができる。三〇〇〇メートルのフィルムの映画『パリの女性』を仕上げるのに、チャップリンは一二五〇〇〇メートルのフィルムを使っている。映画はそれゆえ、芸術作品のうちでも、より良く作り変える可能性に、もっとも富んでいる。そしてこの改良可能性は、永遠の価値なるものを徹底的に断念することと、繋がっている。反対の例を考えてみるとよい。永遠の価値の産出を志向する芸術を作ったギリシア人にとっては、改良の可能性のいちばん少ない芸術である彫刻が、諸芸術の頂点に位置していた。その創造は文字どおり〈一個〉

の石塊からなされた。モンタージュの可能な芸術作品の時代にあっては、彫刻が没落することは避けられない。

IX

一九世紀の経過のなかで、絵画と写真とのあいだで、その産物の芸術的価値をめぐってたたかわされた論争は、こんにちから振り返ると、本筋をそれた混乱したものに見える。だからといって、しかし、その論争に意味がないというのではない。むしろその意味は強調されてよいだろう。じじつその論争は、世界史的な状況の転換——この転換の実体には絵画派も写真派も無自覚だったとはいえ——の表現だったのだ。複製技術の時代が芸術を、その礼拝的な基盤から切り離したことによって、芸術の自律性の輝きは永久に失われた。だがそれとともに生じた芸術の機能変化は、一九世紀の目にははいらなかった。二〇世紀になって、映画の発達が見られるようになっても、なお長いあいだ、この機能変化はひとの目に映ることがなかった。

写真が芸術であるか否かという問題を決しようとして、これまで多くのひとが明敏な頭脳をしぼってきたが、成果はあがらなかった。ひとびとは、写真の発明によって芸術の性格が総体的に変化したのではないか、というまず先に考えるべき問題を、なおざりにしていたのである。その後の映画理論家たちの問題提起も、この先決問題の提起を、似たような工合に抜きにしている。しかも、写真が従来の美学にもたらした難題は、映画がつきつけてきた難題に比べれば、児戯に類していたといえるから、初期の映画理論には、むちゃくちゃな強引さが目立っている。たとえばアベル・ガンスは、映画を象形文字に見立てている。「こうしてわれわれは、過去へのきわめて注目に値いする回帰の結果として、古代エジプト人の表現の高みに、ふたたび到達した。……映像言語はまだ成熟しきってはいない。なぜならわれわれの目は、まだその言語を消化しきれないのだから。映像言語で語られているものへの敬意も、崇拝も、まだ十分ではない。〔5〕」あるいはセヴラン＝マルスは、こう書いている。「いかなる芸術に……夢が、これよりも詩的であると同時に現実的であったようなかたちで、かつて与えられていたろうか！　このような見地から見れば映画は、たぐいない表現手段だといえよう。そしてその雰囲気に浸れるのは、じつに高貴な考えかたをもつひとだけではあるまいか。そういうひとならば、生涯でもっとも完璧で神秘的な刻々を味わえるかもしれぬ。〔6〕」この種の理論家たちが映画を「芸術」に組み入れようと四苦八苦して、余儀なく、たとえようもなく羽目をはずして、礼拝的要素を映画のなかに読みこもうとしているさまを眺めることは、大いに参考になる。とはいえ、この種の思弁が公表された時期には、すでに『パリの女性』や『黄金狂時代』のような作品が存在していたのだ。それなのにアベル・ガンスは、平然と象形文字との比較に走っているし、セヴラン＝マルスは、フラ・アンジェリコの絵画についてなら語れそうなことを、映画について語ってはばからない。特徴的なことには、こんにちでもことに反動的な著作家たちは、映画の意義を同じような方向にもとめている。宗教的な方向とはいわないまでも、超自然的な方向に。ラインハルトが『真夏の夜の夢』を映画化した折りにヴェルフェルは、映画が芸術の王国の高みにまで高翔することを従来妨げていたものが、街路やインテリア、駅やレストラン、自動車や海水浴場といった外部世界の、不毛なコピーだったことは疑いない、と断定して、こう述べている。「映画はこれまで、その真の意味を、その現実の可能性を、把握していなかった。……映画の可能性は、自然な手段を駆使して仙界のもの、不可思議なもの、超自然のものを表現して、これに比類ない説得力を付与することのできる、独特の能力のなかにある。〔7〕」

X

写真が絵画を複製する場合と、映画が仕組まれた事象をスタジオで複製する場合とでは、複製のしかたは異なっている。前者の場合には複製される対象が芸術作品であって、複製が作品を生産するわけではない。というのも、対物レンズを扱う写真家の作業は、交響楽団を扱う指揮者の仕事とひとしく、芸術作品を創造する営為ではないのだから。それが創造するものはせいぜい、芸術的な営為である。スタジオのなかでの撮影では、事情は違ってくる。この場合には、複製される対象が芸術作品だ、ということはもはやない。他方、前者の場合と同じく、複製すること自体が作品を生産するのでもない。この場合には芸術作品は、モンタージュに依拠して初めて成立する。つまり、モンタージュされる諸成分の個々はある事象の複製だが、その事象はそれ自体芸術作品ではないし、撮影されて作品となるのでもないわけだ。映画において複製されるこれらの事象は、いったいどういうものなのだろうか？　とにかく、芸術作品ではないのだから。

この問いへの答えは、映画俳優独自の芸術的営為を、出発点とせざるをえない。映画俳優を舞台俳優から区別するのは、その芸術的営為が、複製に依拠する営為という独特な形態をとるために、偶然的な公衆を前にしてではなく、一種の専門委員会――プロデューサー、監督、カメラマン、録音技師、照明技師などとして、いつでも俳優の営為に介入できる立場にある――の前でおこなわれてゆく、という事態である。この点には社会的にきわめて重要な識別マークがある、といわざるをえない。すなわち、ある種の営為へ専門的な委員会が介入することは、スポーツの営為にとっても、またもっと広い意味では総じて実験的な営為にとって、特徴的なことだからだ。じじつそのような介入が、映画制作のプロセスを一貫して規定している。誰でも知っているように、多くの個所は幾度も撮り直しをされる。たとえば、救いをもとめる叫びひとつが、さまざまに形を変えて撮影され、その上でそれらのなかから、フィルム編集者がひとつを選択する。スポーツにたとえるなら、いわばそれらのうちの最高記録を、かれが認定する。したがって、スタジオで演じられる事象は、これと似た現実の事象とは、大いに異なっている。その相違はちょうど、競技場での円盤の投擲が、誰かを殺そうとしての同じ場所での同じ距離へ向けての同じ円盤の投擲と、異なるのにひとしい。前者は一種の実験的営為だろうが、後者は違う。

ところで、そうはいっても、映画俳優の実験的営為は、まったく唯一無二のものである。

その独自性はどこにあるのか？　実験的営為の社会的価値を狭い限界内に閉じこめている一種の枠を、打破するところにある。この場合、スポーツではなくて、機械を用いた実験が想定されている。スポーツマンはいわば自然的な実験しか知らず、自然が課する課題に面して能力を測定されるのであって、機械装置の課する課題に面するわけではない——時計と張り合って走る、と噂された走者ヌルミのような特例を、例外とするならば。しかしいまでは労働過程が、とりわけベルト・コンヴェヤーによって規格化されて以後、機械を用いた実験のかたちの試験を、日常的に無数に生み出している。この試験は目立たずになされていて、試験に合格しないひとは、労働過程から閉め出されてしまう。だがこの試験は、職業適性試験をおこなう施設では、はっきりしたかたちでもなされている。いずれの場合にも、先に言及した枠に、ひとはぶつかることになる。

つまりこの試験は、スポーツと違って、望ましいほどに展示されてはいない。そして映画が介入してゆくのは、ほかならぬこの点になのだ。映画は実験的営為を展示可能なものとする——営為の展示可能性自体を実験することによって。じっさい映画俳優は、公衆の前でではなく、機械装置の前で演技する。映画監督の役わりは、適性試験における審査者のそれにひとしい。眩ゆい照明のもとで演技すると同時に録音の条件をも満足させることは、第一級の実験的営為である。こうして演技するためには、俳優は機械装置の前で人間性を保持していなくてはならないが、この営為にはじつに大きな効用がある。なぜなら、都市住民の圧倒的多数は労働日の続くあいだ、事務室や工場で、機械的な機構に面して、自己疎外におちいらざるをえないのだから。この大衆が晩になると映画館をみたして、映画俳優がかれの人間性を(あるいは大衆にそうと思えるものを)機構に対抗して主張しているのみならず、自身の人間性の勝利のために機構を用立ててもいることをつうじて、かれらに代わって雪辱してくれているのを、体験するわけなのだ。

XI

映画において重要なことは、俳優が公衆にたいして他人を演じてみせることよりもずっと以上に、俳優が機構にたいして自己自身を演じてみせることである。この実験的営為によって俳優がどのように変わるかを、最初に感じとったひとりが、ピランデルロだった。かれがその小説『映画撮影』で述べている意見は、もっぱら問題の否定的側面を強調しているからといって、また無声映画を論じているからといって、意味を失うものではない。

じじつトーキーの出現は、問題の根本を少しも変えていない。依然として決定的なことは、演技がひとつの機械装置にたいして——あるいはトーキーの場合、二つの機械装置にたいして——なされる、という事実なのだ。「映画俳優は」、とピランデルロは書いている、「自分が追放されているように感ずる。舞台からだけでなく、かれ自身の人格からも。かれの肉体が欠損して現象することから生ずる説明のしようもない空虚感のために、かれはなんとなく不快になる。なにしろかれ自身は揮発してしまうのだ。かれのリアリティーも生命も、かれの声も身動きにともなう物音も、すべて奪い取られて、かれは沈黙した一個の映像となり、一瞬スクリーンの上で慄えたあと、音もなく消えてゆく。……かれの影を公衆の前で演技させるのは小さな機械装置であって、かれ自身は、その装置の前で演技することで満足するほかはない〔8〕」。同じ事態は、つぎのように特徴づけられることもできよう。人間は初めて、かれの生きた全人格をもってではあるにせよ、しかし人格のアウラを断念して、活動せざるをえない状態に立ち至った、と。これこそ映画の働きである。なぜならアウラは、人間が、いま、ここに在ることと切り離せない。アウラの複製などはない。舞台上のマクベスを包むアウラは、生きた公衆の目には、マクベスを演ずる俳優を包むアウラと、不可分のものなのだ。けれども、スタジオでの撮影の特異性は、公衆の代わりに機械装置を置くところにある。だから俳優を包むアウラは、ここでは欠落せざるをえない——したがって同時に、かれの演ずる作中人物を包むアウラもまた。

ピランデルロのような劇作家が、映画俳優を特徴づけるにあたって、こんにちほかでもなく演劇が見舞われている危機の根底に、無意識のうちに触れていることは、ふしぎではない。残りなく複製技術の手中にあるどころか、複製技術から生まれてきてさえいる——映画のような——芸術作品にたいして、じっさい舞台芸術ほどに決定的に対立する作品はない。立ち入って考察すれば、このことはいたるところで確証される。映画の専門家たちがとうに気づいていたように、映画表現では「俳優が〈演技する〉ことが少なければ少ないほど、ほとんどいつでも、より大きな効果が得られる」。アルンハイムは一九三二年に、「俳優を道具のように扱い、これを特徴に応じて選び出して……適切な位置に配置する」ところに、映画の「究極の発展」を見ていた。[9] このこととときわめて密接に関連する、ある別のことがある。舞台上で行動する俳優は、役に没入している。しかし映画俳優はじつにしばしば、そうすることができない。かれの演技は一貫して続けられることがまったくなくて、多くの短い演技の切れはしから構成される。スタジオを借りる都合や相手役の都合、さらには舞台装置などの偶然的な諸要素を考慮することと相俟って、映画制作のメカニズムは基本的かつ必然的に、俳優の演技を一連のモンタージュ可能なエピソードの数かずに分解させなくてはならない。とくに照明の問題はややこしい。照明設備の都合から、スクリーンの上ではまとまって速やかに映し出される場景の演技が、スタジオでの撮影のときには、場合によっては数時間にわたり、こまごまと細分されて撮影されねばならぬこともある。分かりやすいモンタージュについては、いうまでもなかろう。たとえば窓からの跳躍は、スタジオで、組み立てた足場からの跳躍のかたちで撮影することができるが、それに続く逃走の場面は、ときには数週間も後に、戸外で撮影される、といった工合だ。ついでにいえば、もっとずっと逆説的なケースを設定することも、たやすい。ドアがノックされて俳優が縮みあがる、という場面が必要だとしよう。ひょっとして、この縮みあがる演技がうまくゆかないことがあるかもしれぬ。そんなとき監督は、俳優がまたスタジオに来ている折りを狙って、かれには知らせずにかれの背後で銃弾を一発ぶっぱなさせる、といった奥の手を使うことができる。この瞬間の俳優の驚愕を撮影しておいて、それを映画に組みこめばよい。芸術が「美しい仮象」の王国から――そこでのみ芸術は栄えうる、と長いあいだ見なされていたあの王国から――すでに脱け出してしまっていることを、このことほどにドラスティックに示す事実は、またとあるまい〔10〕。

XII

人間が機械装置をつうじて表出されることによって、人間の自己疎外は、きわめて生産的に利用されることになった。この利用がどれほど生産的なものかは、つぎの点から分かるだろう。俳優が機械装置にたいして抱く異和感は、ピランデルロが述べているように、鏡のなかに映る自分の映像にたいする異和感と同種のものである。ロマン派のひとびとは、こういう映像のもとにとどまることを好んでいた。ところが、この映像を俳優から切り離して、よそへ移すことが可能になったのだ。それはどこへ移されるのか？ 大衆の前へである。[11] この意識は一瞬たりとも映画俳優の脳裡から去らない。俳優は、機械装置の前にいても、いま自分が勝負している相手はけっきょく大衆なのだ、ということをよく知っている。この大衆によってかれはコントロールされる。しかもかれの演技をコントロールするこの大衆は、かれが演技を終えるまで、かれの目に見えないし、まだ存在していない。この不可視性によって、大衆のコントロールの権威は高くなる。とはいえ、忘れられてはならないことは、映画が資本主義的搾取の束縛から解放されない限り、このコントロールの政治的価値が有効に生かされるには至らない、ということだ。なぜなら、このコントロールという革命的なチャンスは、映画資本によって反革命的なチャンスに転化させられているのが、現状なのだから。映画資本の促進するスター崇拝が、人格という例の魔術を——それがとっくに、人格の商品的性格といういかがわしい光輝のなかに埋没しているのに——保守しているだけではない。これに加えて、お客様は神様だとする観客崇拝が、これを補完している。観客崇拝もまた、スター崇拝と並んで、大衆の心性の腐敗を促進しているが、この腐敗した心性こそ、ファシズムが大衆のなかに、階級意識に代えて植えつけようとしているものにほかならない〔12〕。

XIII

映画の技術について、スポーツの技術についてとまったく同様にいえることは、展示される営為に、万人が半ば専門家として立ち会えることである。新聞配達の少年の一群が、それぞれ自転車にもたれて、競輪の結果を議論しているのを一度聞きさえすれば、そのことは感じとれよう。映画にかんしては週間ニュースが、誰であれ映画の登場人物になりうることを、簡単明瞭に証明している。しかしそういう可能性がある、というだけではない。こんにちでは万人が、映画に登場しようとする要求をもっている。この要求を何より明確に教えてくれるのは、現在の文学の歴史的状況への一瞥だ。

数世紀にわたって文学においては、一方に少数の書き手がいて、他方にその数千倍の読み手がいる、という状態が続いていたが、前世紀の終わり頃、その点に変化が生じた。新聞が急速に普及し、さまざまな政治的・宗教的・学問的・職業的・地域的組織をどんどん捲きこんでゆき、読者となじませるにつれて、しだいに多くの読者が——最初は散発的に——書き手に加わるようになった。同時にこのような読者のために、日刊紙は「投書欄」を設けはじめた。こうしていまでは、ヨーロッパのほとんどすべての労働者は、その労働の経験や、苦情や、ルポルタージュなどをどこかに公表するチャンスを、基本的にもてるようになっている。それゆえ、作家と公衆とのあいだの区別は、基本的な差異ではなくなりつつある。その区別は機能的なもの、ケース・バイ・ケースで反転しうるものとなっていて、読み手はいつでも書き手に転ずることができる。良かれ悪しかれ労働過程が極度に専門化されている現状では、誰でも専門家に——たとえ、ごく些細な実務のであれ——ならざるをえないのだが、誰もが専門家として筆をとる道が、こうして拓けてきたのである。

労働自体が発言しはじめ、労働を叙述する能力が、労働を遂行するのに必要な能力の一部分となる。書き手としての資格は、もはや特殊教育ならぬ綜合技術教育にもとづいたものに、したがって共有財になる。

こういったすべてはほとんどそのまま、映画の分野に移して語ることができる。ここでは、文学の分野では数世紀を要した変動が、僅か一〇年間で起こっている。じじつ映画の――とりわけロシア映画の――実際活動のなかで、この変動は部分的にはもう現実化している。ロシア映画に登場する俳優たちの一部は、ぼくらのいう意味での俳優とは違っていて、〈自分〉を――しかも何より、労働過程のなかにいる自分を――演ずるひとたちなのだ。西欧では、映画は資本主義的に搾取されていて、自分自身を再現したいという現代人のまっとうな要求を、いまだに無視している。のみならず、失業が大衆を生産から排除していて、労働過程のなかで自分を再現したいという第一義の要求をすらも、大衆に拒んでいる。このような状況のもとで映画産業は、荒唐無稽な空想やいかがわしい思惑によって大衆の関心をかきたてることに、もっぱら血道をあげている。この目的のもとに映画産業は、巨大なジャーナリズム機構を動員して、スターたちの出世物語やら恋愛沙汰やらを騒ぎ立てさせたり、人気投票や美人コンクールを催させたりしている。こういったすべては、映画への大衆の根源的で正当な関心——自己認識、それとともに階級的認識への関心——を、腐敗した方向へそらせるためのものである。したがって、一般にファシズムに妥当することが、特殊には映画資本に妥当する。すなわち、新しい社会構造への不可避的な要求が、少数の有産階級に好都合なように、こっそりと搾取されているわけだ。映画資本を接収することは、それゆえすでに、プロレタリアートの緊急の必要となっている。

XIV

映画撮影、とくにトーキーの撮影は、従来ならどんな場所でもけっして思いも寄らなかったような光景を呈する。撮影が進められてゆくとき、劇の進行自体にかかわりのない撮影機械や照明器具や、助手その他のスタッフが、眺めるひとの視野にはいってこないような地点は、ひとつもない(そのひとの瞳の位置がカメラの位置と一致する場合を除いて)。何よりもこの事情こそが、スタジオの場景と舞台上の場景とのあいだにある多少の類似性を、表面的な、無内容のものにしてしまう。原則として劇場には、舞台上のできごとがイリュージョンであることをたやすくは見破れないような場所が、あるものだけれども、映画の撮影場面では、そういう場所がないのである。映画のイリュージョン的な性質は二次的なもので、フィルムの編集から生まれてくる。いいかえれば、スタジオでは機械装置が現実のなかへ深くはいりこんでいるので、現実を純粋に見る視点、機械という異物から解放された視点は、特別の位置に置かれたカメラによって撮影をおこない、さらに同種の撮影をほかにも多くおこなった上で、それらのフィルムをモンタージュするという、特殊な手続きの結果としてでなければ、生まれえない。機械から自由に現実を見る視点は、ここでは人工的なものに転化している。直接の現実の眺めは、技術の国の青い花となったのだ。

劇場とは対照的なこの事態は、絵画に見られる事態と対照させられると、もっと分かりやすくなる。ぼくらはこの場合、撮影技師《オペラトウール》と画家との関係を、問題にすることになるが、問題を解明する手助けとして、外科医学でなじまれている執刀医《オペラトウール》の概念を、借りてくることにしよう。外科医はある意味で、呪術師の対極に位置している。病人の上に手を置くことで治療する呪術師の態度は、病人の体内に手を入れてゆく外科医の態度とは違う。呪術師は、自身と患者とのあいだの自然な距離を、そのままに維持する。もっと正確にいうなら、かれはこの距離を——患者の上に置いた手によって——ほんの僅か縮めるとともに、この距離を——自己のオーソリティーによって——大きく拡げもする。外科医のやりかたは逆であって、こちらは患者との距離を——その体内に手を入れてゆくことによって——大きく縮めるとともに、この距離を——諸器官のあいだをまさぐる手の慎重さによって——ほんの僅か拡げもする。要するに、呪術師とは違って外科医は(かれにもまだ呪術師と共通するところはあるのだが)、決定的な瞬間には、人間対人間という関係を病人にたいして取ることを断念して、むしろ手術者になりきって、病人の内部へ侵入することを辞さない。——祈禱師と外科医との関係は、画家と撮影技師との関係にひとしい。画家は仕事をするとき、対象との自然な距離に注意を払う。これに反して撮影技師は、事象の織り成す構造の奥深くまで分け入ってゆく。両者が取りだしてくる映像は、いちじるしく異なっている。画家による映像が総体的だとすれば、撮影技師による映像はばらばらであって、その諸部分は新しい法則に従って寄せ集められ、ひとつの構成体となる。だからこそ映画による現実の描写は、現代人にとって、比類なく重要なのである。というのも、機構から解放された現実を見る視点を、現代人は芸術作品から要求してよいわけだが、その視点は、機構を利用した映画による徹底的な浸透に依拠しない限り、得られはしないのだから。

XV

芸術作品の技術的な複製可能性は、芸術への大衆の関係を変える。たとえばピカソの絵にたいする関係はじつに後進的なのに、チャップリンの映画に相対するとなると、その関係はじつに進歩的なものに急変する。このとき進歩的なかかわりの徴表となるのは、眺める楽しみ、体験する楽しみが、専門家として判断をくだす態度と直接に、親密に結びついていることだ。このような結びつきは、ひとつの重要な社会的徴候といえる。というのも、ある芸術の社会的な意義が減少すればするほど、それだけますます、公衆の批判的な態度と享受的な態度とは――絵画鑑賞の場合に明瞭に見てとられるように――互いに分離してしまうのだから。そうなると、因襲的なものが無批判的に享受される一方、真に新しいものは反感をもって批判される。映画館においては違う。しかもここで決定的なことは、個人の反応――その総和が公衆のまとまった反応を形成する――が最初から、じかに即座に集まるという条件のもとで出てくる場所は、どこよりもまず映画館だ、という事情である。反応は表われると同時に相互のコントロールを受ける。絵画との比較はまだ役に立つ。絵画はつねに、ひとりか数人かによって鑑賞されることを、はっきり要求してきた。一九世紀に至って絵画が、多くの公衆によって同時に鑑賞されるようになったことは、絵画の危機の初期の兆候だが、この危機はけっして写真のみによってひきおこされたのではない。写真の発明とはさしてかかわりなく、芸術作品が大衆をもとめはじめたことによって、この危機はひきおこされている。

たしかに絵画は、集団による同時的受容の対象には向かない。そのような対象は昔から建築であり、古代には叙事詩だった。そして現代では映画だ。もとよりこの事情から、絵画の社会的な役わりについての結論を引き出すことはできないけれども、絵画がいわばその天性に反して、特殊な状況のために大衆にじかに向き合わされるとなると、この事情は重い足かせになる。中世の教会や修道院や、一八世紀末までの宮廷では、絵画は集団的に受容されたとはいえ、これは同時にではなくて、階層別に多くの段階を設けて、間接的になされていた。この点が変化してしまったことのうちに、映像の複製技術が絵画を捲きこんだややこしい状況が、表出されている。しかし、絵画を画廊やサロンで大衆の前に展示することが、試みられるようになったにしても、それでもそのような方途では、大衆が絵画を受容しつつ自己を組織すると同時にコントロールすることは、できない相談だった。

だからこそ、グロテスクな映画には進歩的な反応を示す当の公衆が、シュルレアリスムにたいしては、後進的な公衆とならざるをえなくなるわけなのだ。

XVI

映画の社会的な諸機能のうちでもっとも重要な機能は、人間と機械装置とのあいだの釣り合いを生み出すことである。この課題を映画は、人間が撮影用の機械装置に向けて自分を描出する、というしかたでだけでなく、その装置の助けを借りて人間が自分に向けて環境世界を描出する、というしかたでも、徹底的に解決してゆく。映画は、環境世界のさまざまなものをクローズ・アップしたり、ぼくらの周知の小道具の隠れた細部を強調したり、対物レンズをみごとに駆使して平凡な周辺を調べ上げたりして、一方では、ぼくらの生活を必然的に支配しているものらへの洞察を深めさせ、他方では、これまでは思いも寄らなかった巨大な遊戯空間を、ぼくらのために開いてみせるのだ。

ぼくらの酒場や大都市の街路、ぼくらの事務室や家具つきの部屋、ぼくらの駅や工場はこれまで、ぼくらを絶望的に閉じこめるもののように見えていた。そこへ映画が出現して、この牢獄のような世界を、高速度撮影というダイナマイトで爆破してしまった。その結果ぼくらはいま、広く散らばった瓦礫のあいだで、平静に冒険旅行を企てることができる。クローズ・アップによって空間は拡がり、スローモーションによって運動はふくらむ。そしてクローズ・アップは、「どっちみち」ぼんやりとなら見えるものを、はっきり見せるだけにはとどまらない。むしろそれは、物質のまったく新しい構造を前面に押し出してくる。同様にスローモーションは、運動の周知の諸要因を明確に映し出すだけでなく、これら周知のもののなかから、まったく未知のものを発見させる。それは「速い動きを遅い動きに見せるのとはぜんぜん違って、滑るような、漂うような、地上のものではないような、独特な感じの動きに見せる。[13]」したがって明らかに、カメラに語りかける自然は、肉眼に語りかける自然とは違う。何より異なる点は、人間の意識によって浸透された空間に代わって、無意識に浸透された空間が現出することである。人間の歩行について、大まかにではあれ誰でも説明できるのが、通例だとしても、足を踏み出す何分の一秒かの瞬間の動きについては、ひとはたしかに何も知らない。ライターや匙をつかむおなじみの動作についても、ぼくらは大まかには承知しているものの、そのさい手と金属とのあいだに本来どういうことが生じているのかは、ほとんど知らない。まして、ぼくらの心理状態の差異に応じてその点がどう微妙に変化するかなど、分かってはいない。こういうところにカメラは、そのすべての補助手段――パン・アップやパン・ダウン、カット・バックやフラッシュ・バック、高速度撮影や低速度撮影、アップやロング――をともなって、介入してゆく。精神分析によって無意識の衝動を知るように、ぼくらはカメラによって初めて、無意識の視覚を体験する。

ついでにいえば、この二種類の無意識のあいだには、密接きわまる関連がある。なぜなら、カメラによって現実から奪い取られることが可能となる多様な視点の大部分は、知覚の〈通常の〉スペクトルの範囲外にあるものだからだ。映画において視覚世界にとりこまれうるデフォルマシオンやステロタイプ、変形や崩壊などは、現実世界では、異常心理や幻覚や夢のかたちで現出する。したがって、カメラを利用する方法は、異常心理をもつひとや夢みるひとの個人的知覚をも、集団的知覚が自分のものとしてゆくことを可能とする手続きに、ひとしい。古代ギリシアの哲人ヘラクレイトスが語った真理――目覚めているひとたちは世界を共有しているが、眠っているひとはそれぞれに自己の世界をもつ、という――に、映画は風穴をあけてしまった。しかも、夢の世界を描出することによって、というよりもむしろ、ミッキー・マウスのように万国に通用する集団的な夢の形象を創出することによって。

技術の進展の結果としてどんなに危険な心理的緊張――この緊張は、危機的な段階に至ると、異常心理の性格をおびてくる――が、大衆のなかに生みだされているかを、よく考察してみるならば、その反面でひとは、つぎのような認識に到達するだろう。すなわち、同一の技術的進展が、そのような大衆の異常心理に抗する心理的な予防接種の効果をもちうるものをも、ある種の映画というかたちで、すでに産出していることである。この種の映画において、サディストの幻想やマゾヒストの妄想をことさらに強調して展開してみせることは、大衆のなかでそのような幻想や妄想が自然に危険なまでに成熟してゆくことを、防止することができるのだ。集団的な哄笑が、そのような大衆の異常心理を、予防的に爆発させて治癒することになる。映画において大量のグロテスクな情景が消費されている現状は、人類が文明の随伴する心理的抑圧におびやかされている危険な状況の、ドラスティックな一徴候にほかならない。ディズニーの映画やアメリカのグロテスク映画は、無意識のものを爆破するという精神療法的な効果をもっている。[14] サーカスなどでの奇矯な道化芸は、いわばこういった映画の先行者だった。映画が成立させた新しい遊戯空間のなかにも、そういう道化芸がまず最初に住みついて、試験的な入居者の役わりを果たしてきている。

この意味でチャップリンは、歴史的な人物としての位置を占めている。

XVII

昔から芸術のもっとも重要な課題のひとつは、新しい需要を――これを完全に満足させる時期がまだ来ていないような需要を――作り出すことだった。[15] あらゆる芸術形式には幾度も危機の時代があって、そのような時代にはその形式は、技術の水準が変化して初めて、いいかえれば新しい芸術形式のかたちをとって初めて、無理なく生み出されうるような効果を、めざすものである。そのような時代、とりわけいわゆる衰退期には、奇矯な粗野な芸術が生まれるものだが、この奇矯さ、粗野さは間違いなく、芸術の豊饒きわまる歴史的な力の中心から、発してきている。近年のダダイズムも、この種のバーバリズムを好んで発揮してみせた。そのインパルスは、いまになってようやく認められるようになっている。ダダイズムが絵画(ならびに文学)という手段をもって、生み出そうと試みていたものは、こんにち公衆が映画にもとめている効果だったのだ。

根本的に新しい画期的な需要を生みだす作業というものは、必ずその目標よりも行き過ぎてしまう。ダダイズムも例外ではない。この運動は、映画が高度に獲得している市場価値を、より重要な意図のために——この意図は当然ながらダダイズムには、ここで叙述されるような工合には自覚されていなかったけれども——犠牲にしている。ダダイストたちは、かれらの芸術作品を商業的に換金可能にすることによりも、それを静観的な沈潜の対象としての売りものになりえなくすることに、ずっと重きを置いた。売りものにならなくする基本的な手法のひとつは、素材の価値を貶《おと》しめることである。かれらの詩は「言葉のごたまぜ」であって、わいせつな言い廻しや、考えられる限りの屑言語を含んでいる。同様にかれらの絵画も、ボタンやら乗車券やらを貼りつけたものだった。このような手段をもってかれらは、かれらの作品から容赦なくアウラを消滅させ、創作の手段を用いながらも、作品に複製の烙印を押している。ハンス・アルプの絵画やアウグスト・シュトラムの詩の前では、ドランの絵画やリルケの詩の前でのように精神を集中して、意見をまとめる時間を過ごすことは、できない。市民階級が変質する過程で非社会的な態度を教えるものに堕落した沈潜に対抗して、ここには気散じが、社会的な態度の一変種として、登場してきているのだ。じじつダダイストたちは、まさしく激烈な気散じを保証するために、芸術作品をスキャンダルの渦中に置くデモンストレーションをおこなった。芸術作品はまず第一に、公共の怒りを買うという〈無二の〉要請をみたすもの、でなくてはならなかった。

ダダイズムにおいて芸術作品は、ひとの目を魅惑する外見や、ひとの耳を納得させる響きから脱け出して、一発の弾丸に転化した。それはひとを撃ち、こうして作品は、いわば触覚的な質を獲得した。このことは同時に、映画への需要を育てることになった。というのも、映画の気散じ的な要素も同様に、まず第一に触覚的といえる要素なのだから。この要素は、つぎからつぎへと観衆に襲いかかってくる場面の転換・ショットの転換にもとづいている。[16] 映画は、ダダイズムがいわば道徳的な範囲になお包みこんでいた生理的ショック作用を、その包みのなかから解放したのだった。

XVIII

大衆が母体となって、現在、芸術作品にたいする従来の態度のいっさいは、新しく生まれ変わっている。量が質に転化している。関与する大衆の数がきわめて増大したことが、関与の在りかたを変化させてしまった。この在りかたがさしあたって悪評に包まれて見えるからといって、観察を誤ってはならない。ひとびとはこう非難する。芸術愛好家は精神を集中して芸術作品に近づくのに、大衆は作品にくつろぎをもとめている、作品は芸術愛好家にとっては崇拝の対象だが、大衆にとっては娯楽の種でしかない、と。――この点は、もっと精密に考察しなければならぬ。くつろぎと精神集中とは互いに対極にあり、この対極性はつぎのように定式化できる。芸術作品を前にして精神を集中するひとは、作品に沈潜し、そのなかへはいりこむ。ちょうど、自分の仕上げた絵のなかへはいってゆく中国の画家の伝説が、物語るような工合に。これに反して、くつろいだ大衆のほうは、芸術作品を自分のなかへ沈潜させる。大衆は海の波のように作品をしぶきで取りかこみ、自分のなかに包みこむ。この場合、建築物を例にとるのが、いちばん分かりやすい。建築は古来、その受容がくつろいでなされる、しかも集団によってなされる芸術作品の、典型だった。建築を受容する諸法則は、何より示唆に富んでいる。

始原の時代から建築は人類に随伴している。多くの芸術形式がそのあいだに生まれては滅びた。悲劇は古代ギリシアで成立し、古代ギリシア人とともに消え去ってから、幾世紀もあとに復活した。叙事詩は諸民族の青春時代に淵源をもち、ヨーロッパではルネサンスの終わりとともに消滅した。タブロー画は中世の産物だが、これが中断なく続く保証はどこにもない。しかし、宿りをもとめる人間の欲求には中断はありえないから、建築芸術は杜絶えることがなかった。建築の歴史はほかのどの芸術の歴史よりも長いし、建築の及ぼす作用を考えてみることは、大衆と芸術作品との関係を究明しようとするすべての試みにとって、意味がある。建築物は二重のしかたで、使用することと鑑賞することとによって、受容される。あるいは、触覚的ならびに視覚的に、といったほうがよいだろうか。このような受容の概念は、たとえば旅行者が有名な建築物を前にしたときの通例のような、精神集中の在りかたとは、似ても似つかない。つまり、視覚的な受容の側での静観に似たものが、触覚的な受容の側にはないからだ。触覚的な受容は、注目という方途よりも、むしろ慣れという方途を辿る。建築においては、慣れをつうじてのこの受容が、視覚的な受容をさえも大幅に規定してくる。また、視覚的な受容にしても、もともと緊張して注目するところからよりも以上に、ふと目を向けるところから、おこなわれるのである。建築において学ばれるこのような受容のしかたは、しかも、ある種の状況のもとでは規範的な価値をもつ。じじつ、歴史の転換期にあって人間の知覚器官に課される諸課題は、たんなる視覚の方途では、すなわち静観をもってしては、少しも解決されえない。それらの課題は時間をかけて、触覚的な受容に導かれた慣れをつうじて、解決されてゆくほかはない。

慣れてゆくことは、くつろいだひとにもできる。それどころか、ある種の課題をくつろいで解決しうることこそが、初めて、ひとが課題の解決に慣れてきたことを、あかしする。知覚に課された新しい諸課題がどの程度まで解決可能になったかは、芸術が提供するべきくつろぎを目安として、点検できよう。ところで個々のひとには、そのような諸課題から逃れたいという誘惑が、なお根強く存在しているから、芸術が諸課題のうちのもっとも困難で重要なものに立ち向かうのは、芸術が大衆を動員しうるところにおいて、ということになる。現在、その場は映画だ。くつろいだ受容は、芸術のすべての分野のなかでしだいに目立ってきていて、知覚の深刻な変化の徴候となっているが、それを練習するのに、映画にまさる道具はない。映画はそのショック作用をもって、くつろいだ形態の受容に対応している。このように映画は、この側面からしても、ギリシア人において美学と呼ばれたあの知覚にかんする学の、明らかにこんにちもっとも重要な対象となっている。

XIX

現代人のプロレタリア化の進行と、大衆の組織化の進行とは、同一の事象の二つの側面である。新しく生まれたこのプロレタリア大衆は、現在の所有関係の廃絶をめざしているが、ファシズムは、所有関係には手を触れずに、大衆を組織しようとしている。そのさいファシズムは、大衆に〈権利を、ではけっしてなくて〉表現の機会を与えることを、好都合と見なす。[17] 所有関係を変革する権利をもつ大衆にたいして、ファシズムは、所有関係を保守しつつ、ある種の〈表現〉をさせようとするわけだ。理の当然として、ファシズムは政治生活の耽美主義に行き着く。ダンヌンツィオとともにデカダンスが、マリネッティとともに未来主義が、そしてヒトラーとともにシュヴァービング〔ミュンヒェンの芸術家居住区〕の伝統が、政治のなかへはいりこんでいった。

政治の耽美主義をめざすあらゆる努力は、一点において頂点に達する。この一点が戦争である。戦争が、そして戦争だけが、在来の所有関係を保存しつつ、最大規模の大衆運動にひとつの目標を与えることができる。政治の側面からは、現在の事態はそうまとめられる。技術の側面からは、つぎのようにまとめられよう。戦争だけが所有関係を維持しながら、現在の技術手段の総体を動員することができる、と。ファシズムによる戦争讃美は、自明のことだが、〈この〉論拠は利用していない。にもかかわらず、この論拠を一瞥することは教訓的だ。エティオピアでの植民地戦争にたいするマリネッティの宣言文には、こう記されている。「二七年も前からわれわれ未来主義者は、戦争を美的でないと称することに反対してきた。……だからわれわれは確認する……戦争は美しい。なぜならそれは、防毒面や威嚇用拡声器や火焔放射器や小型戦車を用いて、人間が機械を制圧し支配している状態を、確乎としたものとするのだから。戦争は美しい。なぜならそれは、人間の肉体を鋼鉄に劣らなくするという夢に、実現の道を拓くのだから。戦争は美しい。なぜならそれは、花咲く野に、機関銃火の焔の蘭を、さらに乱れ咲かせるのだから。戦争は美しい。なぜならそれは、銃声や砲声、その合間の静寂、芳香や腐臭などを統合して、一曲の交響曲とするのだから。戦争は美しい。なぜならそれは、大型戦車や、幾何学模様をえがく飛行機の編隊や、炎上する村々から立ちのぼる煙の渦や、そのほか多くの新しい構築物を創造するのだから。……未来主義の詩人たち、美術家たちよ……戦争の美学のこれらの原理を想起せよ、これらによって……新しい詩、新しい造型をもとめるきみたちの苦闘に、輝きを添えるために！」〔18〕

この宣言文には明快という長所がある。その問題提起は、弁証法的な思想家が受けて立つに値いする。弁証法的な思想家の目には、現代の戦争の美学は、つぎのように映るのだから。生産力の自然な利用が所有の秩序によって邪魔されると、増大する一方の技術的補助手段や、テンポや、動力源は、不自然な利用へと駆り立てられてゆく。不自然な利用の場は戦争である。破壊に破壊を重ねる戦争は、社会がまだ技術を自身の手足とするほどまでに十分には成熟していないこと、そして技術のほうも未成熟であって、社会の基本的諸力をまだ捌けずにいることを、証拠だてている。帝国主義戦争の残酷きわまる諸特徴を規定しているものは、一方での巨大な生産手段と、他方での生産過程におけるその手段の不完全な利用とのあいだの、矛盾(いいかえれば、失業、販路不足)なのだ。帝国主義戦争は、技術の叛乱にほかならない。技術は、その要求にたいして社会が自然な資源をあてがわなかったために、叛乱を起こし、いわゆる「人的資源」を取り立てている。技術は電力の代わりに人力を、軍隊というかたちで土地に投入し、飛行機を往来させる代わりに弾丸を往来させている。そして毒ガス戦争において技術は、新しいしかたでアウラを払拭する手段を手中にしている。

「芸術ヨ生マレヨ——世界ハ滅ブトモ」とファシズムはいい、マリネッティが信条とするような技術によって変えられた知覚を、戦争によって芸術的に満足させるつもりでいる。これは明らかに、芸術のための芸術の完成である。かつてホメロスにあってはオリンポスの神々の見物の対象だった人類は、いまや自己自身の見物の対象となってしまった。人類の自己疎外は、自身の絶滅を美的な享楽として体験できるほどにまでなっている。ファシズムの推進する政治の耽美主義は、そういうところにまで来ているのだ。コミュニズムはこれにたいして、芸術の政治化をもって答えるだろう。

原注

〔1〕アベル・ガンス「映像の時代の到来」。『映画芸術、II』、パリ、一九二七年、九四―九六ページ。

〔2〕たとえば文学や絵画の作品の場合、複製技術は、作品を大量に普及させるための一条件として外部から持ち込まれたものだが、映画作品の場合は違う。映画の複製可能性は、直接にその生産の技術にもとづいている。この技術は、映画作品の大量の普及を直接的に可能にするだけではない。むしろそれは、作品を大量に普及させなければ成り立たない技術なのである。なぜなら、映画の生産費は高額であって、個人は、一枚の絵なら買えても、映画を買えはしないのだから。一九二七年の調査によると、比較的大作の映画が利潤を生むためには、九〇〇万人の観衆を獲得せねばならない。とはいえトーキーの出現は、この点での一時的な後退を結果した。トーキーの観衆は、同じ言語圏内に局限されたのだ。しかもこのことは、ファシズムによってナショナリズムが鼓吹されたときと重なった。この後退は吹きかえの発明で緩和されることになるから、この後退自体はさして問題ではない

けれども、重要なことは、それとファシズムとの関連性を見失わないことである。両者の同時性の根もとには経済恐慌がある。既存の所有関係をあからさまな暴力をもって保守しようとするファシズムの試みに導いたものは、広い視野で見るならこの恐慌による経済的困難だが、同じ困難が、恐慌に見舞われた映画資本にたいしては、トーキーの準備を促進させるように働いた。トーキーの導入は、ひとつの弥縫策だった。それも、トーキーが大衆を改めて映画館に呼びこんだから、だけではない。トーキーが新しく諸国の電気産業の資本を、映画資本と提携させたからなのだ。したがってトーキーは、表ではナショナリズムを促進したが、裏ではしかし、映画生産をこれまで以上に国際的にしている。

〔3〕　この両極性を、観念論美学は正当に扱うことができない。観念論の美の概念は、両極をけっきょく区別せずに包含している(したがって区別を抜きにしている)。とにかく、観念論の枠内で考えられうる限りで明瞭に、この両極性に言及しているのは、ヘーゲルである。『歴史哲学講義』ではこう述べられている。「形象ははるか昔からあった。はるか昔から礼拝は、崇めるための形象を必要とした。だが〈美しい〉形象をではない。美しい形象は邪魔でさえあった。美しい形象には外的なものも含まれているが、形象が美しければ、この外的なものの精神が、ひとに語りかけてきてしまうのだ。しかし礼拝にあっては、礼拝自体は精神を欠いたもの、心を茫とさせるものだから、〈物〉へのこの関係は重要である。……美しい芸術は……教会自体において成立した……とはいえ……いまでは芸術は、すで

に教会の教理から離れてしまっているけれども。」(『ヘーゲル全集、IX』、ベルリン、一八三七年、四一四ページ。)——『美学講義』のなかにも、ヘーゲルがこの点に問題の所在を感じ取っていることを、示唆する個所がある。「われわれは、芸術作品を神々しく崇めることのできる時代を、超えてきている。芸術作品の与える感銘は、もっと冷静な性質のものであって、作品がわれわれにひきおこす心象は、もっと高度な吟味を必要とする。」(『全集、Xの1』、ベルリン、一八三五年、一四ページ。)

〔4〕 この適応を促進することが、革命の目標である。革命とは、集団の神経が隅々まで働くこと、より正確にいえば、第二の技術を器官とする新しい集団、史上最初の集団の、神経を隅々まで働かせようと試みること、にほかならない。この第二の技術のシステムは、社会の基本的諸力を使いこなせていることを、自然の基本的諸力との遊戯のための、前提としている。ところで、何かをつかむことを学ぶ子どもがボールにも月にも手を伸ばすように、いまや集団の神経を隅々まで働かせようと試みる人類は、手近な目標をめざすだけでなく、さしあたってはユートピアと見える目標をも、視野に収めるものである。じっさい、社会への諸要求を革命において表出するのは、第二の技術だけではない。人間を総じて労働の苦役からしだいに解放してゆくことを、この第二の技術がめざしていればこそ、他面において個人が、自身の遊戯空間が見通しもきかないほどに拡大したことを、にわかに認めることにもなるのだ。個人はまだこの遊戯空間を使いこなせていない。けれども個人は、

その遊戯空間のなかにあって、かれの諸要求を表明する。なぜなら、集団が第二の技術を身につけてゆけばゆくほど、その集団に所属する個人は、第一の技術の呪縛圏内にあったいままでの期間に身についたものがどんなに僅少であったかを、感じとることになるのだから。いいかえれば、第一の技術を清算することで解放された個人が、いまや自身の要求をかかげだす。第二の技術が最初の革命的な諸成果を確保しおえることがないうちからすでに、第一の技術によっては隠されていた個人の重要問題が——愛とか死とかが——新しく解決をもとめてくる。フーリエの仕事は、このような要求の最初の歴史的なドキュメントである。

〔5〕アベル・ガンス、前掲書、一〇一ページ。

〔6〕セヴラン＝マルスのこの文章は、アベル・ガンスの前掲書の一〇〇ページから引用されている。

〔7〕フランツ・ヴェルフェル「真夏の夜の夢。シェイクスピアとラインハルトによる映画」、一九三五年、からの引用。

〔8〕ルイージ・ピランデルロのこの文章は、前出『映画芸術、II』所収のレオン・ピエール＝カンの論文から再引用されている(同書一四／一五ページ)。

〔9〕ルードルフ・アルンハイム『芸術としての映画』、ベルリン、一九三二年、一七六／一七七ページ。——映画監督を演劇の手口から隔てる手口の幾つかは、一見してはつまらぬ

些細なものだが、この関連で大いに興味をそそる。たとえば、メイキャップなしで俳優を演技させる試み。これは、ドレイエルが映画『ジャンヌ・ダルク』で実行した試みのひとつである。かれは異端審問の場の登場人物を集めるのに幾月も費して、四〇人あまりの演技者を探し出した。この演技者探しは、調達しにくい小道具を探すのに似ていた。ドレイエルは努力を傾けて、年齢や体格や顔貌の似た演技者がいないようにしたのだ（モーリス・シュルツ「メイキャップ」。『映画芸術、Ⅵ』、パリ、一九二九年、六五／六六ページ参照）。俳優が小道具になるとすれば、他方では小道具が俳優として機能することも、まれではない。とにかく、映画では、小道具にもひとつの役わりが与えられることは、少しも異常ではないのである。無数の例から任意のひとつを取り出すのではなくて、ぼくらは、とりわけ説得力のある一例を持ち出そう。動いている時計は、舞台上では無用の長物としか見えまい。時間を測る役わりは、舞台では時計に振られていないからだ。自然主義的な劇においてすら、天文学的な時間は、舞台上の時間と衝突することだろう。こう考えると、場合によって映画が時計による時間の測定を利用しうることは、じつに特徴的なことといえる。この事実ほど明瞭に、あらゆる個々の小道具が場合によって映画のなかで決定的な機能をもちうることを、認めさせるものはなかろう。ここから、つぎのプドフキンの確認までは、ただの一歩にすぎない。「俳優の演技がある物と結ばれ、その物の上に築かれるならば、その演技は……つねに、映画的造形のもっとも強力な一手段となる。」（プドフキン『映画の演出と台本』、ベルリン、一九二八年、一二六ページ）。したがって映画は、物質がいかに人間と共演しているかを示しうる、唯一の芸術手段である。映画はそれゆえ、唯物論的な描出の、傑出した道具でありうる。

〔10〕美しい仮象の意義は、いまや終わりに近づいているアウラ的知覚の時代に、根拠づけられた。この点にかかわる美学理論がもっとも明確なかたちをとったのは、ヘーゲルにおいてだった。ヘーゲルにとっては、美は「精神が直接的な形態を……精神によって精神にふさわしく創造された感覚的な形態をとって、現象したもの」である（『ヘーゲル全集、Xの2』、ベルリン、一八三七年、一二一ページ）。とはいえこの言いかたには、すでに亜流めいたところがある。ヘーゲルの定式によれば、芸術は「この悪しき無常の世界の仮象と虚妄」を「諸現象の真の内実」から切り離すもの（『全集、Xの1』、一三ページ）なのだが、この定式はすでに、美学理論が継承してきた経験の根底から、離れてしまっている。この経験の根底はアウラなのだ。ヘーゲルの定式に反してゲーテの創作にあっては、なお完全に、アウラ的な現実性としての美しい仮象がみちみちている。ミニョンも、オティーリエも、ヘレナも、この現実性にかかわっている。「美は表面にもなければ、蔽い隠された対象にもない。対象がその表面に〈内在〉するところにこそ、美がある」――というのが、ゲーテの、また古典古代の、芸術観の精髄である。この芸術観が凋落している現在、その根源を振り返ってみることは、ひとしお必要だろう。その根源は、すべての芸術活動の根

本現象としての、模倣《ミメーシス》にある。模倣するひとはその行為を、もっぱら仮象としておこなう。しかも最古の模倣行為は、それをなすべき材料をひとつしか、つまり模倣者自身の肉体しか、知らない。舞踊と言語、身ぶりと唇の動きが、模倣の最初期の表出だった。——模倣するひとは、かれが関心をもつものを、仮象の行為にする。かれはそれを遊戯している、といってもよい。したがって、ミメーシスのなかにある両極性が気づかれよう。ミメーシスのなかには、芸術の二つの側面が、仮象と遊戯が、二枚の子葉のように絡まり合ってまどろんでいる。といっても、この両極性に弁証法的な思想家が関心を抱くのは、この両極性が歴史的な役わりを演ずる場合に限られるのだが、しかしじじつ、これは歴史的な役わりを演じている。しかもこの役わりは、あの第一の技術と第二の技術とのあいだの世界史的な対決によって、規定されている。第一の技術のすべての魔術的方法の、もっとも使い古されているが同時にもっとも永続的でもある図式が、仮象であるのにたいして、第二の技術のすべての実験的方法の、無尽蔵の貯蔵庫は、遊戯なのだ。在来の美学は、このような仮象の概念とも、また遊戯の概念とも、縁がない。そして、この一対の概念から、礼拝的価値と展示的価値という一対の概念が生まれてくるといっても、その限りでは何ということもないけれども、これらの概念が歴史と関係づけられれば、とたんに事情は一変する。そこからは実践的な洞察が得られる。すなわち、芸術の諸作品において仮象が衰微し、アウラが凋落するにともなって、巨大な遊戯空間が獲得される、という洞察が。もっとも広い遊戯空間は、映画において開かれた。映画において、仮象のモメントは完全に背後に退き、これに遊戯のモメントが取って代わっている。写真が礼拝的価値と対峙してかちえた地歩は、こうして映画によって、強力に打ち固められた。映画において仮象のモメントの座を奪った遊戯のモメントは、あの第二の技術と同盟している。この同盟を、最近シャルル・フェルディナン・ラミュは、比喩の外見をとりながらも事象の本質をいいあてる言葉で、定式化してみせた。かれはこう述べている。「われわれは現在、魅惑的な過程に立ち会っている。これまではそれぞれに狭い領域にこもって仕事していた諸科学が、ひとつの対象に的を定めて、ひとつにまとまろうとしている。化学、物理学、機械工学が手を組んできている。いわば、最初の諸断片の位置どりに数千年を要していたパズルが、著しく速やかに解決されてゆくさまを、われわれは証人として目撃しているかのようだ。そのパズルの最後の諸断片はいま、周囲で眺めているわれわれを驚嘆させつつ、その輪廓を整えながら、おのずからのように集合しつつある。」(ラミュ「農民、自然」。『ムジュール』誌四号、一九三五年一〇月)。この言葉のなかに、芸術の遊戯的モメントを強化するあの第二の技術の遊戯的モメントは、じつにみごとに表現されている。

〔11〕　ここに認められる変化、複製技術によって展示方法がこうむる変化は、政治においても見られる。民主主義の危機を、政治家の展示の諸条件の危機として、理解することが可能なのである。民主主義は政治家自身を直接に、しかも議員たちの前に展示する。議会は政

治家の観衆といってよい。しかし録音・撮影の機械装置が改良されて、演説するひとを無際限に多くのひとびとに聴かせたり見せたりすることができるようになると、この機械装置の前に政治家を展示することのほうが、主になってくる。こうして議会は、劇場とともに閑古鳥が鳴く場所になる。放送および映画は、専門的な俳優の機能を変化させるのみならず、まったく同様に、その前で自己を演ずる人間の、たとえば政治家の、機能をも変化させるのだ。この変化の方向は、映画俳優の場合でも政治家の場合でも、かれらの特殊な任務の差異にはかかわりなく、相等しい。その方向がめざすのは、特定の社会的諸条件のもとで試験することの可能な、どころか別人が代わって引き受けることさえ可能な営為の、展示である。すでにスポーツにあっては、ある種の自然的な諸条件のもとで、そのような展示が要求されてきていた。ここから結果するのは新しい選択法、機械装置を前にしての選択であって、この選択からはチャンピオンが、スターが、そして独裁者が、勝利者として現われてくる。

〔12〕ついでにいえば、プロレタリアートの階級意識は、それがきわめて明晰なものになれば、プロレタリア大衆の構造を根底から変える。階級意識をもつプロレタリアートが一枚岩と見えるのは、外側からにすぎない。つまり、抑圧者たちの想像のなかでのことにすぎない。プロレタリアートが解放闘争に踏み出す時点では、外見的に一枚岩と見える大衆は、真実にはすでに、ほぐれた構造をもっている。行動へ移行する大衆は、たんなる反作用《リアクション》の支配

下には、もういない。ほぐれたプロレタリア大衆こそが、連帯する。プロレタリア階級闘争の発揮する連帯性においては、個人と大衆とのあいだの死んだ対立、非弁証法的な対立は、廃棄されているのだ。同志にとって、そんな対立はない。したがって、革命の指導者にとって大衆が決定的なものだとしても、革命の指導者の最大の業績は、大衆を自分のほうへ引き寄せることではなくて、自分のほうがくりかえし大衆の一員となること、くりかえし大衆のために、数十万人のうちのひとりとなることである。——階級闘争はこのように、プロレタリア大衆を一枚岩からほぐれさせるのだけれども、まさに同じ階級闘争がしかし、小市民大衆を圧縮してゆく。ル・ボンらが「大衆心理学」の対象としたような一枚岩の大衆は、小市民大衆にほかならぬ。小市民は階級ではない。じっさい小市民はたんなる大衆であって、しかも、ブルジョワジーとプロレタリアートという相対立する二階級のあいだにあって圧力にさらされればされるほど、一枚岩になってゆく。〈この〉大衆のなかでは、大衆心理学で語られるような感情的モメントが、じじつ力をもっている。だが、だからこそこの種の一枚岩の大衆は、耳を澄ましたプロレタリアートの中心メンバーたちのもつ集団的理性とは、まさしく正反対のものを形成している。こんな小市民大衆のなかでは大衆心理学のいう反動的モメントが支配的なことは確かだとはいえ、まさにそれゆえに、無媒介的なリアクションをこととするこの一枚岩の大衆は、課題によって媒介された諸行動をとるプロレタリアート——たとえその課題がきわめて一時的なものであることがあるにしても——の中心メンバーたちとは、正反対の位置にいるわけだ。だから、一枚岩の小市民大衆のほうは、戦争への熱狂であれ、ユダヤ人への憎悪であれ、自己保存の衝動であれ、およそ何を表明するにせよ、その表明はまったくパニックの相貌を呈する。——これで、一枚岩の小市民大衆と、階級意識をもったプロレタリア大衆とのあいだの、相違が明らかになったとすれば、この相違がもつ作戦上の意義も明らかだろう。具体的にいうと、この相違を見究めておくことの正しさが、どこでよりも明らかになるのは、つぎのような、かなりしばしば生ずる事例においてである。すなわち、もともとは小市民大衆の逸脱行為だったものが、革命的情勢の結果として、ひょっとすると数秒間のうちに、一階級の革命行動に転化してしまうことがある。このような真に歴史的な過程の独自性は、一枚岩だった大衆のリアクションが、それ自体の内部に動揺を呼びさまし、この動揺が大衆をほぐれさせて、ほぐれたかれら自身が階級意識をもつ中心メンバーたちの集合であることを、かれらに気づかせるところにある。じつに短時間に進行するこの具体的過程の内容は、コミュニストの戦術家たちの言語で「小市民層の獲得」と呼ばれるものにほかならない。このことをはっきりさせることに、この戦術家たちは、さらに別の意味でも関心を抱いている。なぜなら、大衆概念の両義性は、ドイツの革命的ジャーナリズムでも通例となっていたように、大衆の気分なるものを無責任に喋々することとなって、ついにドイツ・プロレタリアートの禍いとなった幻想の、手助けをしていたのだから。逆にファシズムの側は、あの法則性を――見抜いていたかどうかは怪しいが――うまうまと利用した。ファシズムには、自分の動員する大衆が一枚岩であればあるほど、小市民層の反革命的な本能がそのリアクションを規定するチャンスが、それだけ多くなることは、分かっている。しかし、プロレタリアートのほうが準備する社会のなかでは、大衆を整列させるような条件は、客観的条件も主体的条件も、もはや存在しなくなるはずなのだ。

〔13〕 アルンハイム、前掲書、一三八ページ。

〔14〕 とはいえ、これらの映画を全面的に分析するならば、これらの映画が反対の意味をもつことにも、言及しないわけにはゆくまい。その分析は、コミカルにも戦慄的にも同時に作用する事態がもつ反対の意味から、出発することになろう。コミックと戦慄とは、子どもの反応を見れば分かるように、じかに隣り合っている。そして、ああいう事態を見て、このような場合にはどちらの反応のほうが、より人間的な反応だろうか、と問うことは、ごく自然だろう。最近の数本のミッキー・マウス映画の描出する事態は、そう問うことを正当なことと思わせる(その暗鬱な焔の魔術は、色彩映画によってその技術的前提が創出されたものだが、これまでこっそりとしか用いられていなかったひとつの手法を強調するものであり、ファシズムがこの分野でも「革命的な」革新をいい気になって横領していることを示している)。最新のディズニーの映画にてらして明らかとなる傾向は、実際には従来の多くの映画ですでに基礎が置かれていたものであって、残虐さや暴力行為は生命には

つきものだとして、それらを気前よく黙認してしまう傾向である。こうして、古いがまったく信用のおけない伝統が拾い上げられて、これが、踊るごろつきども——中世のユダヤ人虐殺をえがいた絵画にまず現われ、影の薄くなったそのしんがりがグリム童話の「悪党」になる、あのごろつきども——によって、引用されている。

〔15〕「芸術作品は」、とアンドレ・ブルトンはいう、「未来を反映することのおののきに、終始貫かれている限りにおいてのみ、価値をもつ」。じじつ、完成された芸術形式はすべて、三つの発展の道筋が交差するところに位置している。つまり、第一には、技術が特定のある芸術形式をめざして発展してゆく、ということがある。映画が登場する以前には、親指で押すと連続する写真が眼前を疾過して、ボクシングやテニスの試合を見せてくれる仕組みのものがあったし、市《いち》が立てば、把手を廻すと連続する映像が流れる自動機械も見られた。第二には、在来の芸術形式がある発展段階に達すると、後代の新しい芸術形式によって無理なく得られることになる効果を、強引にめざす、ということがある。映画が一般化するより前に、ダダイストたちはかれらの催しによって、後年のチャップリンが容易に実現させる動きを、公衆のなかに持ち込もうとしたものだった。第三には、しばしば目立たない社会的な変化が、新しい芸術形式にようやく役立つことになるはずの芸術受容のしかたの変化を、めざしていることがある。映画がその観衆を集めだす以前から、皇帝座パノラマ館では、映像(すでに動く映像)が集まった観衆によって受容されていた。この観衆は

幾つもの双眼鏡をはめこんだ衝立の前に立って、めいめいがそれぞれにひとつの双眼鏡を覗く。するとその眼前に、ちょっと停止してはつぎのと入れかわる個々の映像が、自動的に出現してくる。エディスンが最初のフィルムを僅かな観衆の前で上映したときには、かれはまだ——まだスクリーンも、投影の技法も知られていなかったから——同様の装置を用いねばならなかった。このときには観衆は、フィルムが内部で廻る装置を覗いて、目をこらしたのである。——ところで、皇帝座パノラマ館の設備にはとりわけ明瞭に、この発展の弁証法が表出されている。映画が映像の観察を集団的な観察へと変える直前に、このたちまち時代遅れとなる娯楽場の双眼鏡の前で、個人による映像観察はもう一度、かつて僧房にこもる聖職者が神像を凝視したときと変わらぬ強烈な効果を、あげているわけなのだ。

〔16〕映画のスクリーンと、絵画のカンヴァスを比較してみるとよい。前者の映像は変化し、後者の像は変化しない。後者の像は見るひとを静観へ誘う。ひとはその前で、移りゆく連想に身をまかせることができる。映画の前ではそうはゆかない。画面をひとが目にしたとたんに、画面はすでに変わっている。固定されることはありえない。これを眺めるひとの連想の流れは、たちまち画面の変化によって中断される。ここに映画のショック作用がある。この作用はあらゆるショック作用と同じく、沈着な精神によって迎えられることを要求する。映画は、現代人の生活を旧に倍して包みこんでいる生命の危険に、対応した芸術

形式なのだ。それは、知覚器官の深刻な変化——この変化を、大都市の車の往来のなかを行くすべての通行人は、私的生活の尺度で体験しているし、こんにちの社会秩序に反対するすべての戦闘者は、世界史の尺度で体験している——に、対応するものなのである。

〔17〕この場合、宣伝上の意義が相当に高く評価されてよい週間ニュース映画を考えてみれば格別、技術の現状が大きな意味をもってくる。複製の普及は、大衆を複製することに、とりわけ好都合なのである。大規模なパレードや、大衆集会や、スポーツの大会や、さらに戦争などは、いまはことごとく映画撮影されるし、そこで大衆は自分自身の顔を見ることができる。このことの影響力は強調するまでもあるまいが、こういう成りゆきは、複製技術・撮影技術の発展と、きわめて密接に関連している。一般に大衆の動きは肉眼によりも、より明瞭に機械装置に映し出される。数十万人ものメンバーを捉えるには、鳥瞰するのがいちばんよい。そして人間の目が機械装置と同じく鳥瞰する位置にある場合でも、目の捉える映像は、撮影されたそれとは違って、拡大することができない。すなわち、大衆の動き、なかんずく戦争は、人間の行動のうちで、ことに機械装置に好適な行動形態なのだ。

〔18〕引用は『ラ・スタンパ・トリーノ』による。

訳注

（1）ド・デュラス夫人というのは、フランス革命にさいして亡命し、のちに作家として知られたド・デュラス公爵夫人（一七七八―一八二八）と推測されるが、この引用文の出典は訳者には不明。また、この構造の単純な一文をどう日本語に移すのが適切なのか、訳者には迷いがある。とりあえず原文のままとしておき、識者のご教示を待ちたい。

ヴァルター・ベンヤミン略年譜

一八九二年　ベルリンの富裕なユダヤ人美術商の家に生まれる。
一九一二年〜　フライブルク大学、ベルリン大学などに学ぶ。
一九一九年　ベルン大学で「ドイツ・ロマン主義における芸術批評の概念」で博士号取得。
一九二五年　フランクフルト大学に教授資格論文「ドイツ哀悼劇(悲劇)の根源」を提出するが、拒否される。
一九三三年　ナチス政権成立とともにパリへ亡命。フランクフルト社会研究所の共同研究員となる。
一九四〇年　ドイツ軍のパリ侵攻のため、パリを脱出してルルドに逃れる。マルセイユに出てアメリカに渡ろうとするが、出国ビザが取れず失敗。このためピレネー超えを決行し、スペインの国境の町ポル・ボウに入るが、スペイン警察による強制送還の脅しにあい服毒。翌九月二十七日朝、息を引き取る。

著作に、『一方通交路』『ドイツ哀悼劇(悲劇)の根源』「ベルリンの幼年時代」「歴史哲学テーゼ」『パサージュ論』など多数。ボードレールやプルーストの翻訳にも携わる。

あとがき

ベンヤミンの『複製技術時代の芸術作品』はテクストとしていくつもヴァージョンがあるが、今のところ第一、第三ヴァージョンといわれているドイツ語テクスト、ドイツ語より先に出版されたフランス語訳のテクスト、そして野村修氏の日本語訳をもとに読んでみた。左にそれを掲げておく。

ドイツ語テクストについては
Walter Benjamin, Abhandlungen, Gesammelte Schriften, Band I-2, Surkamp, 1974.
第一版は、pp. 431-469 及び第三版は、pp. 471-508.
フランス語テクストについては同書の
pp. 709-739. L'oeuvre d'art à l'époque de sa reproduction mécanisée.
なお補遺(Ms)については

Walter Benjamin, Abhandlungen, Gesammelte Schriften, Band I-3, Surkamp, 1975, pp. 1039-1051に収録分を利用した。

多木浩二

二〇〇〇年五月二三日

本書は、岩波現代文庫のために書き下ろされたものである。

なお、『複製技術時代の芸術作品』は、野村修訳「複製技術の時代における芸術作品」(『ボードレール他五篇　ベンヤミンの仕事2』岩波文庫、一九九四年)より改題して収録した。

ベンヤミン「複製技術時代の芸術作品」精読

2000年6月16日　第1刷発行
2009年4月3日　第10刷発行

著　者　多木浩二《たきこうじ》

発行者　山口昭男

発行所　株式会社　岩波書店
〒101-8002 東京都千代田区一ツ橋 2-5-5
案内 03-5210-4000　販売部 03-5210-4111
現代文庫編集部 03-5210-4136
http://www.iwanami.co.jp/

印刷・精興社　製本・中永製本

ISBN 4-00-600019-7　　Printed in Japan

岩波現代文庫の発足に際して

新しい世紀が目前に迫っている。しかし二〇世紀は、戦争、貧困、差別と抑圧、民族間の憎悪等に対して本質的な解決策を見いだすことができなかったばかりか、文明の名による自然破壊は人類の存続を脅かすまでに拡大した。一方、第二次大戦後より半世紀余の間、ひたすら追い求めてきた物質的豊かさが必ずしも真の幸福に直結せず、むしろ社会のありかたを歪め、人間精神の荒廃をもたらすという逆説を、われわれは人類史上はじめて痛切に体験した。

それゆえ先人たちが第二次世界大戦後の諸問題といかに取り組み、思考し、解決を模索したかの軌跡を読みとくことは、今日の緊急の課題であるにとどまらず、将来にわたって必須の知的営為となるはずである。幸いわれわれの前には、この時代の様ざまな葛藤から生まれた、人文、社会、自然諸科学をはじめ、文学作品、ヒューマン・ドキュメントにいたる広範な分野のすぐれた成果の蓄積が存在する。

岩波現代文庫は、これらの学問的、文芸的な達成を、日本人の思索に切実な影響を与えた諸外国の著作とともに、厳選して収録し、次代に手渡していこうという目的をもって発刊される。いまや、次々に生起する大小の悲喜劇に対してわれわれは傍観者であることは許されない。一人ひとりが生活と思想を再構築すべき時である。

岩波現代文庫は、戦後日本人の知的自叙伝ともいうべき書物群であり、現状に甘んずることなく困難な事態に正対して、持続的に思考し、未来を拓こうとする同時代人の糧となるであろう。

（二〇〇〇年一月）

岩波現代文庫［学術］

G197
源氏物語
大野晋

五四巻の物語が巻数順に執筆されていないことは、何を意味するか。ほのかな言葉遣いから主題の展開をどうつかむか。画期的源氏論。〈解説〉丸谷才一

G198
国際政治史の理論
高橋進

権威主義体制、開発独裁、国家の生成と機能、古典的権力政治、帝国主義という五つのテーマについて、長年の研究を集成する。

G199-200
明治精神史(上)(下)
色川大吉

大学紛争が全国的に展開し、近代の価値が厳しく問われた時代に刊行され、大きな共感をよんだ、戦後歴史学・思想史の名著。〈解説〉花森重行

G201
スルタンガリエフの夢
―イスラム世界とロシア革命―
山内昌之

ロシア革命がはらむ西欧中心主義の限界をいち早く見抜いていたスルタンガリエフ(一八九二―一九四〇)。その「ムスリム民族共産主義」を詳説。〈解説〉中島岳志

G202
定本 日本近代文学の起源
柄谷行人

明治二十年代文学における「近代」「文学」「作家」「自己」という装置それ自体を再吟味する。古典的名著を全面改稿した決定版。

2009. 3

岩波現代文庫[学術]

G208
私はどうして私なのか
—分析哲学による自我論入門—
大庭 健

自分がいる、とはどういうことなのか？「私」とは何？「あなた」がいて「私」がいる意味を、分析哲学の手法で鮮やかに検証する。

G209
マッド・マネー
—カジノ資本主義の現段階—
スーザン・ストレンジ
櫻井公人
櫻井純理 訳
髙嶋正晴

世界金融危機をどう認識するか。前著『カジノ資本主義』でカジノ化した市場に警鐘を鳴らした著者が、「マッド」になった市場を告発する。

G210
新版 ディコンストラクションⅠ
J・カラー
富山太佳夫
折島正司 訳

気鋭の文芸理論家が、テクストの理論、読書行為論、フェミニズム論等を中心に、思想・哲学の最新配置図を描いた現代思想の名著。

G211
新版 ディコンストラクションⅡ
J・カラー
富山太佳夫
折島正司 訳

脱構築の思想でテクストの独自な論理を解読し、メルヴィル等の文学作品やフロイトを具体的に批評する。ポスト構造主義の必読書。

G212
江戸の食生活
原田信男

大繁盛した大都市江戸の食べ物商売、武士の日記にみる日々の献立、肉食の忌避とその実態など、食から近世に生きる人びとの暮らしと心を探る。〈解説〉神崎宣武

2009. 3

岩波現代文庫［学術］

G213

イエス・キリストの言葉

―福音書のメッセージを読み解く―

荒井 献

イエス・キリストの言葉は、現代においてどのような意味を持っているか。それぞれの福音書記者の立場や時代背景にそって読み解く。

2009.3